新しい
ナショナリズムの時代が
やってきた!

加瀬英明
ケント・ギルバート〈著〉

〈勉誠出版〉

まえがき

中国の武漢から世界に広まった新型コロナウイルスの脅威は、アメリカのトランプ大統領をして、「真珠湾や九・一一より酷い」と言わしめた。まさに、それはアメリカにとって、習近平の共産中国による米国本土攻撃に等しかった。

対イラクの戦争では、米兵の死者数が四四八六名だった。アフガン戦争では、二四八七名、アメリカの国内世論は、米兵の死者が一〇〇〇名を超えると、厭戦気分が沸き上がってくる。

ところが、この「武漢（ウーハン）ウイルス」によって失われたアメリカ市民の命は、五月二十一日午前四時の時点で、九万二五八三名（ＡＦＰ）となっている。

参考までに他国の死者は、英国が三万五七〇四名、イタリアが三万二三三〇名、スペインが二万七八八八名となっている。

各国が非常事態宣言を発令し、「ロック・ダウン」と呼ばれた都市封鎖を行った。短期間でウイルスが急速に感染を広げ、これだけの死者が出たとなると、事態は「戦争」にも例えられた。

五月十八日、トランプ大統領はWHO（世界保健機関）のテドロス事務局長に書簡を送り、アメリカのWHOへの拠出金を、「恒久的に支払わない」と通告、WHOの新型コロナウイルスへの対応を批判した。

トランプ大統領は、「年間四億五〇〇〇万ドルを支払っているのを、四〇〇〇万ドルに減らそうと思ったが、それでも多すぎるとの意見が出ている」と述べ、テドロス事務局長を「中国の操り人形だ」と批判した。

さらに五月二十日、トランプ大統領はツイッターで、「世界規模の大量殺人を引き起こしたのは、中国の無能さ以外の何物でもない」と主張、感染源である中国を強く非難している。

一方で、中国の外交部（外務省）は、「新型コロナウイルスは、武漢にある研究所から発生した」というトランプ大統領とポンペオ国務長官の訴えに対し、「中国は他国と同様に『犠牲者』であり、『犯人』ではない」との声明を発表した。

「武漢ウイルス」が世界にパンデミックを起こしたことは、単に「新しいライフスタイル」を世界にもたらしただけではない。政治と経済の大きな地殻変動を引き起こした。

これまで、世界中の多くの政治家や経済人、また一般大衆も、世界はグローバルな時代へと進化していると、そう錯覚していた。世界の国境がなくなって、もっと自由な「地球市民」の時代が来ると、そう夢想していた。

幸か不幸か、「武漢ウイルス」は、そうした願いを完膚なきまでに叩きのめした。

各国は国境を封鎖し、他国民が自国に入ってくることを拒絶した。物流はストップし、各国は様々な資源を、自給自足しなくてはならなくなった。労働賃金の安い他の国に生産拠点をつくり、グローバルに売り上げを伸ばそうとしていた企業は、会社の存続すら危ぶまれることになった。

都市封鎖によって、人々の生活にも、大きな制約を余儀なくされた。経営者も、事業それ自体が成り立たないので、労働者を解雇した。収入の途絶えた無職の人々は、その補償を政府に求めている。

それでも「こういう時こそ、国際協力が必要だ」と声を挙げる政治家や評論家、学者もいるが、現実を直視すれば、パンデミックが起こると、各国は国境封鎖をし、医薬品でさえも、「自国ファースト」で、他国からは調達できなくなるのである。厳しい現実だが、当然のことだ。

世界は、これまでの「グローバリズム」を夢見る時代から、より現実的な「国益ファースト」の時代へと向かう。

それは、アメリカが「国連中心主義」に距離を置いていることや、英国がEUから離脱するなどの動きからも、既に明らかな方向性として歩みだされていたことなのだ。それが、「武漢ウイルス」のパンデミックによって、確かな方向性として、加速された。

問題は、日本の現状だ。

五月三日は、「憲法記念日」とされているが、私は憲法改正を目指す「民間憲法臨調」（櫻井よしこ代表）の招きで、「リモート集会」に提言者として参画した。

安倍首相、櫻井よしこ代表に次いで、私が提言をした。その内容は、ネットなどでご覧頂きたい。

現行の日本国憲法は、占領軍によって、日本を弱体化する目的で、英文で起草された。その特徴は、国家に力を与えないこと。地方に「国権」を分配し、国民に「主権」を与え、国家の主権を奪っているという点だ。

いかなる独立主権国家も、国軍を持ち、自国は自国の軍隊で防衛するというのが、第一義だ。ところが、日本国憲法は、日本国民の生存を、「平和を愛する諸国民の公正と信義」に委ねているのだ。日本の防衛は、アメリカとの「片務的同盟」に、頼っている。首相は、戦争という決断をする必要もない。攻撃されたら反撃する。その反撃も三十分ぐらいしか持たないので、アメリカ軍が来るまでの時間稼ぎにすぎないのだという。

国家に国民を防衛する「力」や「権限」が、戦後の日本という国には、与えられていないのだ。

「武漢ウイルス」は、期せずして、日本が「戦争」に巻き込まれたような事態を招いた。その「国難」にあって、国民は「国家が権限を行使し、国民を護ってくれる」と期待したが、政府は、国民にお願いをし、地方自治体の首長に「権限を行使」してくれるよう命じるだけだった。憲法には、緊急事態法が欠落していた。非常時（例えば、戦争とか）でも、政府が機能できないように、日本国憲法は仕組まれていたのだ。

「まえがき」が長くなりすぎてはいけない。詳細は、本論に移そう。

外交評論家の加瀬英明先生は、様々なことに精通していらっしゃる。アメリカについても、実によくご存じだ。その加瀬先生と、今年に大統領選があるトランプのアメリカはどうなるか、台頭する独裁者・習近平の共産中国はどうなるか、台湾や沖縄は我々にとってもいかに重要か、さらにコロナ以降の世界はどうなるか、そしてそうした世界激変の時代に、日本はどう対処すべきかを、遠慮することなく、本音で語り合った。

本書の収録は、たった一回三時間で、三月末に行った。

その後にコロナ感染が世界でパンデミックとなり、日本でも「緊急事態宣言」が、安倍首相によって発せられた。

そうした時々刻々動く状況も睨みながら、三度の校正と加筆を経て、いま、一冊の本として世に送り出すことができた。

『緊急出版』ではあるが、その中身は、アメリカと日本の、そして共産中国と対峙する「コロナ以降」の世界について、本質的な議論を展開している。その意味では、今後、数年、或いは十数年を経ても、古くならない内容だと、きっと読者にも思っていただけると確信している。

ケント・ギルバート

目　次

第一章　コロナ禍で米大統領選はどうなる？

人類を再びパンデミックが襲った

加瀬　中国生まれの新型コロナウイルスが、全世界にわたって猛威を振っています。
　いったい、いつ終息することになるのか、この段階では予想できませんが、終わった時に、きっと、これまでの世界のありかたが、大きく変わることになるでしょう。
ギルバート　パンデミックの前からも、第二次世界大戦後に築き上げられた安全保障体制、経済構造、国際機関の是非、あるいは国家そのものの意味がすべて問われ始めていました。トランプ大統領の出現によって、その動きが加速しましたが、今回のパンデミックによって、緊急課題になってきました。
加瀬　新型コロナウイルスのパンデミック――世界的な大流行が、その前と後ではっきりとした一線を引くことになって、新型コロナウイルスの発生前の世界と、終息したあとの世界では、諸国の世界のありかたについて、大きく違ったものになっているはずです。
ギルバート　それも、アメリカや日本だけではなく、全世界的な現象です。
加瀬　一四世紀なかばから一五世紀はじめにかけて、ヨーロッパ全体に蔓延した黒死病、ペストのパンデミックを一つの例にとると、ヨーロッパの人口の三分の一以上が悲惨な形で死んだといわれますが、この大流行を境にして、ヨーロッパのありかたが大きく変わりました。このパンデミックも、中国文明から始まって一帯一路のシルクロードを通って、クリミア半島からイタリアに上陸したものです。

ギルバート　ヨーロッパにおいて、聖職者が著しく少なくなり、医者はほぼ全員死亡しました。農民の一部は都市部に移動し、農奴や農民が決定的に不足しました。それによって飢饉もおきたが、同時に彼らの社会的地位が上がり、両者に対する縛りが弱くなり、最終的に中世時代の封建制度が崩壊しました。つまり、ペストによって、中世時代に終止符が打たれました。

加瀬　人類の歴史は、戦争とパンデミックと技術革新によって、織りなされてきたといえますね。

私たちは、いま、新しい世界の入り口に立っています。

ギルバート　医療技術が中世時代と比べて進んでいるので死亡率は少ないけれど、経済と社会がいかにもはかないものだと、私たちは思い知らされています。ウイルス一つの悪影響の大きさに私自身は恐怖を覚えています。

加瀬　今年一一月に、アメリカでトランプ大統領が再選するか、どうか。もし、トランプが一期限りとなったら、いったい、アメリカはどうなるのでしょうか？

中国の習近平体制が、今後、続いてゆけるのでしょうか？　中国の歴史を振り返ると、疫病が大流行するごとに、王朝が倒れて交替してきました。

日本では、安倍首相が四選して、続投してほしいという声がたかまっているものの、二〇二一年九月に自民党総裁の任期が切れる時に、どうなるのか。

ヨーロッパ、中東がどうなるのかなど、世界の行く末が不透明になって、ごく近未来を予想するのが、きわめて難しくなっています。

世界の歴史を西暦というと、キリスト暦ですが、BC（ビフォア・クライスト　キリスト降臨前）、AD（ラテン語のanno domini　キリスト生誕後）とに分けているのを、アメリカでは、BC（ビフォア・コロナウイルス）、AC（アフター・コロナウイルス）と分けるべきだ、という声もありますね。

東京オリンピック大会がパンデミックのおかげで、来年七月まで、延期になりました。日本では、その話題で持ち切りでしたね。

でも、新型コロナウイルスのパンデミックのために、これから世界が大きく変わることと較べたら、小さなことですよ。

ギルバート　他のスポーツ観戦も中止になったり、劇場も閉鎖されたりしています。音楽のコンサートもキャンセル。生ではなく、オンラインで楽しんでいる場合はありますが、人間対人間の接触の代わりに疑似体験に変わりつつあります。一見便利な側面はありますが、人間は他の人間と触れ合う大切な習慣が失われると悲しいですね。

武漢（ウーハン）ウイルスを世界に広げたグローバリズム

加瀬　これまで世界の歴史では、パンデミックによって、世界の進路が大きく変わることが、繰り返して起ってきました。新しい価値観が生まれるはずです。

中国とグローバリズムが価値を失って、ナショナリズムが息を吹き返します。

中国の武漢（ウーハン）から広まった新型コロナウイルスが、米ソ冷戦の終結後に人類の世界体制となったグローバリズムをもたらしましたが、楽観の上に成り立っていたグローバリズムを粉砕することになるでしょう。

ウーハン・ウイルスによるパンデミック（世界的流行）が、いつ終息するか分かりませんが、世界にもたらしている衝撃があまりに大きいだけに、終息しても、世界がもとに戻ることはないでしょう。

グローバリズムは世界を一つのものとしてみて、投資、製造、人や物品の移動から国境をなくしてしまっていました。

二〇〇二年にサーズ（重症急性呼吸器症）が、やはり中国の広東省から始まった時に、中国は世界経済の四％にしか当たらなかったのに、二〇二〇年に一六％を占めるようになっていました。

二月にギリシャで、東京オリンピック大会のための聖火の採火式が行われました。テレビのニュースで観ましたが、ナチスの式典だということに触れることがなかった。

古代ギリシャのオリンピア大会でも、一八九六年に近代オリンピック大会が始まってからも、一九三六年のベルリン大会まで聖火リレーが行われることがなかった。ヒトラーのナチス・ドイツがこの年にベルリン大会を主催しましたが、すべての道がベルリンに通じることを示威するために、ヨセフ・ゲベルス宣伝相が発明したものです。

ギルバート　え、それは知らなかった。

加瀬　いろいろな当時の本に書かれています。ドイツが中心となるヨーロッパを演出しようとした。だから、ナチスのことを悪く言いながら、オリンピックを神聖化しているので、何でもよくなるんですね。

それにしても、これほど近未来の世界のことがどうなるものか、わからなくなるということは、最近ではめずらしいことですよね。

ギルバート　この新型コロナウイルスはアッと言う間にほぼ全世界に広がりました。

加瀬　いま、武漢（ウーハン）ウイルスが、イタリアで猛威を振っていますね。

一九二二年にファシスト・イタリアの独裁者となったムソリーニが政権を握ると、真っ先に「非衛生的だから握手の悪習を廃止して」、古代ローマ帝国時代の敬礼だった右手を前に高く掲げる、「サルート・ロマーノ」（ローマ式敬礼）にかえるように求めました。

一九一八年からスペイン風邪が全世界に流行して、四年にわたって数千万人にのぼる死者が発生したからでした。ヒトラーがナチス党の党首となると、ファシスト・イタリアを模倣して、ローマ式敬礼を採用しました。「ハイル・ヒトラー！」という敬礼は、パンデミックが生んだものです。

さて、世界がこれからどうなるかが、この本のテーマですが、まずは、トランプ大統領がはたして再選できるのかということから、始めましょう。何といっても、日本にとってアメリカがどうなるかということが、日本の生存にかかわる重大事ですからね。

新型コロナ禍でトランプは再選できるか？

ギルバート　アメリカの大統領選挙について、ひとこと言います。民主党が勝つ見込みはありません。ただし、今のウイルス問題の対応次第では、トランプが負ける可能性がないとは言えません。

実は、四月八日に、民主党予備選挙を勝ち抜いて最後に残った二人の候補者ジョー・バイデン前副大統領とバーニー・サンダース上院議員のうち、サンダース支持者は民主党の三分の一ですが、それよりも増えません。この現実をみて、正式な候補になることが無理だと本人が認めました。但し、バイデンを支持するのではなく、党大会まで政治活動を続ける、つまり、自分の社会主義思想に基づく政策が民主党の公的に主要な項目として盛り込まれるように活動を続けると宣言しました。しかし、四月一三日にサンダースは正式にバイデンの支持を表明しました。

加瀬　ぼくもトランプが再選すると思いますが、もちろん、これから何が起るか分からないから、トランプが敗れる可能性もありますね。

ギルバート　私はもし民主党が勝ったとしても、民主党の勝利とは認めません。

加瀬　コロナウイルス騒ぎのために、民主党の大統領候補を指名する民主党大会が、七月から八月へ延期されましたね。場所は同じウイスコンシン州のミルウオーキーですね。
　ぼくが不思議なのは、アメリカの大統領になる資格は、アメリカで生まれたこと、それからアメリカに一四年以上住んでいること、それから年齢が三五歳以上ときめられています。アメリカの大統領になるだけの能力と資格がある人と言ったら、数千人はいるはずですよね。
ギルバート　その条件を満たしている人たちの数を考えれば、理論的には、何百万人もいますよ。しかし、大統領になるのには、憲法に書いていない能力、人脈、金力、話術、経験、そして運が必要です。
加瀬　それでも、ギルバート先生も含めて、少なくとも数万人はいることでしょう。それなのに、民主党がなぜ選りに選ってアルツハイマーになっている、七七歳のジョー・バイデンを大統領候補として、選ばなけりゃならないんですか？
ギルバート　アルツハイマーかどうか分かりませんが、バイデンの多くの発言は意味不明です。バイデンはもし二〇二一年一月に大統領として就任したら、七八歳になりますね。
　候補選を降りましたが共産主義者のサンダースはすでに七八歳でした。実は、サンダースは民主党員じゃないんですよ。知りませんでしたか？　本人も社会主義者だと自分から言って、民主党の正式な党員ではないんですよ。

加瀬　だけど、大統領になる資格と能力のある人がいくらでもいるのに、いまや七七歳の、明らかにボケているバイデンに、民主党の候補が絞られている。

　スーパーチューズデーと呼ばれて、民主党の予備選挙が、一三の州でいっせいに行われて、そこでバイデン前副大統領がテレビに映っていましたけどね。間違って「スーパーサーズデー」と言っているんですよね。

ギルバート　「上院議員選挙に立候補しているバイデンです」と、間違って自己紹介しましたね。

加瀬　完全にアルツハイマーですね。

　バイデンがあまりにも失言ばかりするので、選挙集会では、万一、失言してもきこえないように、スピーカーから流れる音楽の音量を大きくして流していると、報じられています。

　二月には、バイデンは集会で「われわれは事実より、真実（ウィ・チューズ・トルース・オーバー・ファクツ）を重んじる！」と言ったり、アメリカで二〇〇七年以後、銃犯罪によって「一億五千万人」が死んでいるとか、自分が大統領となったら、「七億二千万人の女性を就職させる」とか、マーガレット・サッチャーに会ったら、トランプは「常軌を逸している」と語った（テレサ・メイ前英首相の間違い）、「副大統領として鄧小平とよい関係を結んだ」（習近平の間違い）と述べたり、いやいや、矢継ぎ早やに失言して、ひどいものですね。

ぼくは高齢者を非難したくないですが（笑）、こんな呆け老人がアメリカと自由世界のリーダーとなったら、どうしますか。あきれるほかないですよ。

なぜ、民主党がバイデンでまとまろうとしているんですか？　アメリカが常軌を逸するように、なっているんじゃないですか？

米国の民主党は「分断政治」で票を集めた

ギルバート　それには、理由があるんですよ。基本的に分断政治のせいです。要は、国民を数多くの異なった利益を追求している、もしくは強い嗜好をもったグループに分けるんですよ。その政治を行っている党なんです。

加瀬　民主党が。

ギルバート　民主党は国民をいくつかのグループに分断して、それぞれの塊（かたまり）に対して甘いことをいって、働きかけるわけです。

加瀬　人種からというと、大きなグループとして、黒人とか、ヒスパニックがありますね。アジア系の人も数多くいます。アメリカ原住民もいます。

ギルバート　それにＬＧＢＴだの、女性だのね。それから、まだいろいろあるわけです。サンダースの場合は、学生、あるいは卒業後も学生ローンを抱えている人々とか。そうやって分断したうえで、それを支持票として束ねようとするんです。

例えば、サンダースは極左というか、超左翼でしょう。

加瀬　八年前までは、ソシアリズム――社会主義といえば、アメリカに馴染まない言葉でした。

ギルバート　彼は事実上共産主義者なんですよ。新婚旅行を、モスクワで楽しんでます。そのあとは、コミューンという、みんなで北朝鮮みたいに「チュチェ思想」もどきのイデオロギーに基づいて、共同で生活するんですが、そこにしばらく参加していたんです。ソ連が好きでした。

最近の選挙集会で、「カストロは決して悪い人じゃなかった。みんなに教育を受けさせた。」と、述べています。そうだったら、なぜ百万人以上のキューバ国民が、みんな必死になって、マイアミに亡命したんだろうか。カストロがよい指導者だというのが、プロパガンダだとわかっているのに、そういっているんじゃないでしょうか？

加瀬　カストロは恐怖政治を行って、多くの国民を処刑していますね。小型のスターリンか、毛沢東ですよ。

ギルバート　だから、民主党は分断政治に徹しているんですよ。日本にたとえると、それを若干やっているのは、日本の野党なんですね。

例えば、新宿二丁目で、レインボー・パレードが毎年行われます。世界各地でも毎年行われるＬＧＢＴの祭りです。そこに、誰が現れたでしょうか。蓮舫や枝野幸男です。行進に加わって、「私たち、ＬＧＢＴの権利を守ります！」なんて、アピールしました。

私のゲイの知り合いは、もう完全に頭にきて、ムッとしていましたね。「彼らが私たちを、政治目的に利用しようとしているんじゃないか、放っといてくれよ」と。

「放っておいてくれれば、われわれはどうにでもなるんだから。別にそれほど差別されているわけでもないんだし。優遇されてはいないかもしれないけど、もういいから、消えろ」というような気持ちでしたね。それが、分断政治なんです。

さらに、沖縄やアイヌをターゲットにして分断政治が行われています。

オバマの選挙手法を引き継いだバイデンは、ボケている

加瀬　アメリカでも、日本でも、「人権、人権」の叫びが、そこのけ、そこのけと大手を振って、威張って歩いています。

人権は憲法で護られている国民の貴重な宝です。しかし、いまや何よりも神聖視されるようになっている「人権」は、流行語となっていますが、エゴのことですね。このような「人権」を振りまわすから、社会を空中分解しつつありますよ。人として、まったく温かみが感じられない言葉になっていますね。

ギルバート　アメリカの民主党であれ、日本の野党であれ、これらの人たちを政治的に利用しようとするわけです。しかし、そうすると国民がバラバラになる。オバマはそれをうまくまとめることができたんですが、いまではオバマのような人がいないんです。

オバマのレガシーを引き継いでいるのは、バイデンなんです。四月一四日に、ビデオメッセージでオバマ前大統領は正式にバイデンを支持すると発表しました。

バイデンは失言が多いですね。口を開けば失言です。

麻生太郎が副総理で、バイデンが副大統領だったときは、ちょうどいい体制だと思った

ものです（笑）。二人とも、口を開けば失言が出るなんて、面白い体制でした。

バイデンは、明らかにボケてるんですよ。日曜日の夜にディベートがあって、その当時残っていたサンダースとバイデンの二人だけの討論でした。途中でコロナウイルスの話題になり、バイデンが検査に関して、ドライブスルーでもなんでも、多くの人たちが検査を受けられるようにしないと駄目だと、主張したのです。ところが、ドライブスルーの検査は、その翌日から始まったんですね。もう、決まっていたことなんですね。お前、テレビのニュース見ないのか、という感じですよ。

二人は国境を開放するべきだと主張しています。だれに対してそう言っているのか。今は移民法で制限されていますが、移民を完全に自由化して、それによって外国から流れて入ってくる人たちが、自分たちの票田になってくれると思っているわけです。トランプは必死になって、国境を開放することを拒んでいるんですね。その代わり、合法的な移民に積極的です。現在緊急措置として、南（メキシコと）の国境と、北（カナダと）の国境を閉鎖して、そこからの不法移民を完全にシャットアウトしています。

ヒスパニックは面白いもので、二代目で同化してしまうんです。そこで二代目、三代目になると、民主党を支持するとはかぎらない。マルコ・ルビオ上院議員（四年前に共和党の大統領候補指名争いに参加した）も、父親がカストロのキューバから亡命したから、当然、共和党になりました。一つの例ですが、キューバ難民の大部分は共和党支持者です。

あるいは、黒人がずっと民主党に依存し続けてきたわけです。そこでオバマ政権のときに、黒人の自立にそれほど力を入れずに、むしろ手厚い福祉政策を続けました。フードスタンプ（食料配給券＝生活費保護の一種）の受給者が大きく増えました。

加瀬　現金を渡すと、酒を買ったり、麻薬を買ったりするから、食品以外と引き替えられないフードスタンプを、出しているんですね。

ギルバート　オバマ政権の間に、フードスタンプの受給者が三六％増加し、人数にして一六六〇万人増えました。トランプ政権になってからは、受給者は、一七・五％減少し、人数にして七七〇万人も減っているんです。生活保護を受けている人たちも、一〇〇〇万人も減ったと言われています。それからトランプのもとで黒人の失業率が、史上最低値にまで下がっています。女性の失業率も、五一年ぶりの低さです。もちろん、これらの統計は、コロナウイルスがアメリカ経済を襲った直前までの数字です。ウイルスが収まってから元に戻すことができるかどうか、トランプ政権の対策が二〇二〇年一一月の大統領選挙で、国民によって裁かれます。これらの階層は、全部、民主党が支持層として狙っているんですね。

それに対抗して、共和党が黒人のためになる、オポチュニティ・ゾーン（経済特区）を設けました。八、七六四の低所得地域が指定を受けています。その地域に投資をすると、譲渡所得などの税制優遇措置が受けられます。そのような地域での投資に銀行が融資を拒否していたのですが、融資が促進されて、投資家の間では好評を得ています。

かならずしも黒人を対象としている訳ではないけれども、結果的に黒人が多い地域が活性化されます。

ようやく起業できた黒人が多くなって、失業率が減り、就業率も急速にあがっています。

加瀬　この前の大統領選挙では、民主党はヒラリー・クリントン夫人と、サンダース上院議員が大統領候補指名を争って、サンダースがかなりのところまで行きました。

ところが、今年はトランプ大統領のおかげで、アメリカの経済がよくなっていたんです。今、ギルバート先生が言われたように。だからサンダースが振わなかったんじゃないですか。だけど、どうしてアメリカの二大政党の一つの民主党が、あのボケじいさんのバイデンを担ぐことになったんですかね。

社会主義者のサンダースの支持層は、世間知らずの若者

ギルバート　多くのアメリカ人は同じ疑問を持っています。

一つには、民主党は罪悪感があると思うんですよ。前回、サンダースがいいところまで行っているのに、民主党の組織自体がずるい方法で、彼が正式候補になれないように、党内のルールを変えたんですよ。

サンダースの支持者たちは、それを忘れていないし、受けいれていないんですよ。では、誰がサンダースの支持者かと言うと、大多数が世間知らずの若者なんです。「ベルリンの壁」と言っても、「どこの話なの?」という人たちです。冷戦も、知らない。彼らの頭の中では、社会主義と言っても、学費がタダになるとか、富裕層からもっと富を取れるとか。その程度です。アホたちですよ。

加瀬　日本の護憲派に、よく似ていますね。進んで現実に目隠しをして、幻想か、空想に耽っている。風船のように、なかに中身がなんにもない。とりとめのない空想に国を委ねるというのは、無責任きわまりないですね。

やはり、社会がかつてなかったまでに豊かになったために、人と人のあいだの絆が弱

まって、しまりがなくなって、人が自己本位となって、社会がまとまらず細分化されるようになってしまっているんです。

ギルバート　サンダースの強い支持層は、彼が主張するポピュリストに魅了されていると思いますよ。もっとも、トランプもポピュリズムです。全く正反対の側にいるんですけれども。そのポピュリズムで、支持者を集めているんです。

加瀬　しかし、すべてのポピュリズムが悪いわけではありません。体制――エスタブリシメントは自分たちの既得権を犯されないように、気にいらない政治現象を、ポピュリズムと呼んで批判するんですね。大手マスコミも、実際は体制の奉仕人ですから、ポピュリズムを嫌悪します。

ギルバート　サンダースは社会主義を看板にしていますから、集まるのは主として世間知らずの若者たちです。寄付も、大型の献金を、特に資本主義で潤っている大企業からはもらっていません。大勢の個人から集めています。しかも、寄付しやすいオンライン方式で、それがまだ勢いがあります。

そういう勢いがあるので、バイデンもどんどん左派にすり寄って、サンダースと同じようなことを言い出したわけです。サンダースは健康保険を享受するのは、基本的な人権だから、全国民にただで提供すべきだと、言っているんです。

でも、ただほど高いものはないのです。いくらかかるかと。今のアメリカのＧＤＰの一〇倍から二〇倍くらいの費用がかかるわけです。彼の頭のなかでは、共産主義的な考え方ですから、いくらかかっても構わない。

ところが、労働組合の皆さんは困るんですよ。なぜかと言えば、戦後、頑張って頑張って、労働組合はいい条件の健康保険を雇用主に用意してもらって、もう満足してるんです。だから、それを全部廃止して、政府が一括して健康保険を国有化するという話には、耳をかさない。これは、絶対に駄目です。

これでは、労働組合をまとめられないはずです。しかし、バイデンなら、ずっと労働組合が、バイデンを支持してきました。そこで、バイデンは組合系の票を期待できないのを承知で、国民皆健康保険を「段階的に」とか、「そういう選択肢もあれば」とか、何を言っているのか、よくわからない。

加瀬　民主党は何でも票になればよいと思って、八方美人を演じるようになっていますね。日本の野党も、よく似ていますね。

ギルバート　そうなんですが、不思議なことに、事実上正式な候補に決まった後、バイデンはさらに左派にすり寄っています。普通は予備選挙では、民主党なら左にすり寄り、共和党なら右にすり寄りますが、本選挙となると、無党派の有権者の票を獲得するために、もっと真ん中に移ります。長い間政治家を務めてきたバイデンは、これで当選できると思っているのでしょうか。

石油産業復活を阻止する民主党や左派・環境活動家

加瀬　環境問題も、こういった進歩的、いや、空想に耽っているというか、夢遊病を患っている人々が愛好するテーマとなっています。

あとで述べますが、気候変動が人間の活動によって起っているという主張は、現実からまったく遊離しています。

人々があまりにも豊かな生活を享受して、祖父母や、祖々父母よりも楽な生活を送っているために、心の底で罪悪意識をもつことを、楽しんでいるものです。

スウェーデンの一七歳の環境運動家のグレタ・トゥーンベリさんが、まるで妖精のように持て囃されて、〝グレタ・マニア現象〟を起していますが、つくられた気候変動説は、きわめて自虐的なものだと思います。

ギルバート　アレクサンドリア・オカシオ＝コルテス（通称ＡＯＣ）下院議員という、やっかいな女性がいるんです。サンダースが、彼女が推薦している「グリーン・ニューディール」を支持しています。この間、彼はミシガンの政治集会で、「化石燃料は、一切合切、禁止する」と発言しました。ミシガン州はデトロイトがある、アメリカの自動車産業の中心なんですよ。化石燃料をやめると言っていることが、どういうことなのやら、分かりません。

それから、ペンシルベニア州は、四年前にトランプがかろうじて過半数の票を取ったんですが、あそこの主要産業は鉄と石油です。州は政治的に三つに分かれているんですが、石炭を原材料として必要とする鉄鋼産業がいまだに強い力を持っていて、その労働組合も強い。バイデンはペンシルベニア州生まれですが、ずっと住んでいるわけではなく、隣のデラウェア州の上院議員です。

そこで、バイデンはペンシルベニア州で強いはずなのに、化石燃料をやめると言っています。それに、アメリカの石油産業は一八五八年代後半にペンシルベニア州から生まれました。一八九一年にピークに達してから、生産量が年々徐々に減っていきました。しかし、トランプ政権ではフラッキングに対する規制を緩和しました。フラッキングとは、油田に蒸気圧力を入れて、採油する技術です。この方法で、一旦枯渇した油田から、石油やガスを効果的に、しかも経済的に採掘することができます。

加瀬　シェールオイルや、シェールガスですね。アメリカはこのおかげで、世界ナンバー・ワンの産油国になって、石油、天然ガスなどで、エネルギーを自給できるようになりました。

しかし、上から水を注入して石油や、ガスを回収しているので、大量の塩素を含んだ排水が汚染源となって、土壌を破壊していることが、環境主義者によって非難されている。

ギルバート　シェールガスとシェールオイルが出てくるので、今では石油産業が盛んに蘇ってきました。

それをやめろとバイデンを含めて、民主党や左派活動家が言っているんだから、そこに従事している人たちは、はたしてバイデンを支持するかどうか。支持しないと思うんですよ。今、アメリカは、エネルギーを外国に依存していないので、外交面でとても楽になったことを国民は知っています。

民主党に分断政治の癖がついているんですね。グリーン・ニューディールを勧める環境派の皆さんも、分断政治の一つのグループなんです。それに対して媚びを売っているわけです。

だけど、それによって経済的に不利得となる人たちは、民主党を選ばないと思います。これは、分断政治の難しい点です。

よく考えないで分断政治によって、特定の利益集団や圧力団体に媚びを売っている間に矛盾を生じてくるし、支離滅裂になってしまいます。私は、そう思いますね。

「分断政治」でアメリカを破壊した民主党

加瀬　アメリカ国民が自己本位な権利を要求する細かいグループに分断されているとなると、アフリカ大陸に似るようになっていますね。ぼくはアフリカの研究者ですが、アフリカではどの国でも部族が単位となっていて、部族が対立している。

アメリカの民主党は支持層をジグソーパズルのようにつくってみたけれど、まったく噛み合わないので、一枚の絵にならない。失敗作のジグソーパズルですね。

ギルバート　というか、かつてはそれでうまく行っていたのに、トランプという存在の出現によって、難しくなりました。

加瀬　日本の野党も、モリカケ問題とか、「桜を見る会」とか、与党の揚げ足ばかりとっています。結局、野党の期待に外れて一つの絵にならない。

ギルバート　米国民主党は伝統的に、労働者、労働組合、アイルランド系、ポーランド系、イタリア系、ヒスパニック、チャイニーズ、日系、黒人などの少数民族、リベラルなマスコミ、大学教授などの党でした。

ところが、グローバリストの民主党政権が無国籍な多国籍企業と結託して、アメリカの製造業を海外へ放り出したところに、トランプが民主党のもっとも大きな支持層だった労働者を攫ってしまったために、民主党は党として無性格になってしまいました。四年前の選挙では、労組の幹部はヒラリーにいれたけど、組合員はトランプにいれたといわれますね。

そのために分裂症におちいって、票をなんとか漁ろうとしているうちに、わけがわからなくなってしまったんですね。

トランプ政権は誕生以来ずっと中国を責めてきた

加瀬　ぼくは、トランプ大統領は第二次世界大戦後のアメリカで、最も偉大な大統領になるだろうと、思うんですね。レーガン大統領が、もう一人の偉大な大統領でしたね。

ギルバート　偉大なアメリカの大統領は、何人かしか、いないですよ。

加瀬　トランプが四年前に彗星のように登場してホワイトハウスの主人となると、アメリカの大手のマスコミが、トランプによってアメリカ社会が分断されたと非難しているけれども、とんでもない。事実は、オバマ政権まですでにアメリカ社会が分断されていたから、トランプが躍り出てきて、今日に至っているんですね。

アメリカの大手新聞、テレビは、ウォール街、リベラル、グローバリズムの代弁者ですから、いまでも、「ネバー・トランプ」の大合唱を行っています。

ギルバート　トランプの当選は、分断政治の失敗がもたらしたものです。

加瀬　トランプ大統領が、アメリカ社会を分断したわけじゃない。日本の大手マスコミもトランプが分断をもたらしたと盛んにそう言っているけれども、アメリカの大手メディアの猿真似をしているだけのことです。

日本の大手のマスメディアは、自主性がまったくない。アメリカの大手メディアが右手をあげれば、右手をあげる。左足をあげたら、あわてて真似をして左足をあげる。マスコミの〝日光猿軍団〟のようなものです（笑）。

朝日新聞とか、毎日新聞だけ読んでいたら、日本で何が起っているのか、分からないですね。アメリカの大手マスコミについても、まったく同じことがいえますよ。アメリカの大手のメディアは、〝トランプ憎し〟から「アメリカが分断されて、衰退している」と、さかんに報じてきました。

ぼくは習近平主席も、アメリカの大手メディアの犠牲者だと思いますね。そう思うと、ちょっと気の毒ですね（笑）。

アメリカの大手メディアの報道を鵜呑みにして、「これで、いよいよ中華大帝国の時代が来た！」と錯覚して、背伸びをしてしまったために、アメリカの怒りをかった。

ギルバート　トランプ政権は誕生以来、ずっと中国を責めています。ここで中国の不正を並べたら、もう一冊の本になりますが、いつの間にか共和党、民主党、労働組合、商工会議所、農業関係者は、反中国に回っています。トランプ政権が中国からの輸入品に二五％の関税をかけても、殆ど反対する人はいません。私は、トランプ大統領の大成功の一つだと思います。

今回のコロナウイルスの情報隠滅をした中国共産党は激しいバッシングを受けています。そのために、中国は必死になってアメリカ国内でプロパガンダを広めています。残念ながら、例によって馬鹿な左翼学者と左翼メディアは中共の嘘をおうむ返しに言っています。

第二章　世の中を狂わせた媚中の左翼・民主党

米国では今や「LGBT」には「Q」と「I」が付く

加瀬　アメリカ社会の分断は、オバマ政権になってからいっそうひどくなったけれど、男女差別は許せないと言っている、バカバカしい例はいくらでも挙げることができます。「神が男女を平等につくった」が、「ジェンダーは人間がつくったものだ」と、言い換えていますね。たしかに「ジェンダー」は英語で、文化的、社会的に男女を区別してつくられた役割を、意味していますね。

だけど、性区別がどうして、性差別になるんでしょうか？　オバマ政権の最後の任期の三年目に、『ニューヨークタイムズ』紙の一面に大きな記事が載って、「ミスター、ミセス、ミスと呼ぶのは、性差別だからいけない」と言って、「Mx」と呼ばなければいけない、と訴えていました。

ぼくはいまでもアメリカに通っていますが、「Mx」をなんと発音していいか、よくわからない。当時、駐日アメリカ大使はケネディ女史でしたが、大使のナンバー2となる公使も、女性でした。

偶然、夕食会の席で、その女性公使がぼくの前に座ったから、『ニューヨークタイムズ』にこんな記事が載っていたけれど、「Mxをなんて発音するんですか?」とたずねたら、「あなたはアメリカ通を気取っているくせに、そんなこともわからないのか」みたいな、冷たい目をしてね。

ギルバート　私もその発音が分かりません。何と発音するんですか?

加瀬　「ミックス」って、発音するそうでした。

オバマ政権の最後の年に、「プレジデンシャル・ディクリー」(大統領令)という形の法律で、自分の信じる性に従って、男女のトイレのどちらを使ってもいいということになったんです。

その後、ワシントンでいつもの高級レストランへ行ったら、なんとトイレから「ジェントルメン」「レディース」という表示が、はずされているんです。こんな怖いことは、なかったですね。さすがに、アメリカのいくつかの州が、「憲法違反だ」と言って、訴訟を起しましたけどね。トランプ政権になってから、この大統領令は撤回されたので、ほっと安堵しました。

しかし、今でも、カリフォルニアとか、ニューヨークとか、民主党が支配している強い州では、トイレが「ジェンダー・フリー」といって、自分の信じる性別に従って、どちらを使ってもいいことになっていて、男女の表示のないところが多いですね。

「ＬＧＢＴＱ」ですが、アメリカでは「Ｑ」までついてますね。Ｑも差別しちゃいけないと言うんですね。

ギルバート　「Ｑ」は、変態という意味です。

加瀬　「クイアー（Queer）」ですね。この前の衆院選挙のときに、立憲民主党の枝野幸男党首のビラを見たら「ＬＧＢＴＱを応援します」と印刷されていました。Queerというのは一〇年前ぐらいまで、人にそう言ったら、たいへんな侮辱でしたよね。

ギルバート　「変人」という意味で侮辱でした。人のことや現象を「変わっている」と表現するときに用いりました。現在は意味が変わって、「変態」という意味になり、同性愛者の一種を言い表す言葉になりました。

加瀬　アメリカでは堂々と「アイム・クイアー（私はクイアーだ）」と、言えるようになっていますよ。

ギルバート　それは、カミングアウトした人しか言いませんよ。一般人は、性癖がおかしい人だと解釈します。

加瀬　ＬＧＢＴＱは性的な生態や、嗜好をあらわしています。枝野さんは変態が好きなんでしょうか。気持悪いですね。

ギルバート　枝野さんは、自分の好みを言っているのではなく、媚を売っているだけです。

加瀬　ケントさんが説明したように、オバマ政権のもとで、伝統的な生活文化の破壊が進んだために、アメリカが分断されていたたんです。そこに、トランプを支持した常識的な国民が、「もう、ごめんだ」といって立ち上りました。

ギルバート　ＬＧＢＴに関して話すと、かつて、共和党は同性愛性行為を違法にする州法を支持し、同性愛結婚に反対する姿勢をとっていました。それで民主党は、「ＬＧＢＴ」を民主党に取り込もうと思って、一生懸命、媚びを売っていました。しかし、時代が進んで、国民の世論が変わりました。そして、結局、同性愛結婚は、最高裁の判決ですでに合憲になりました。

そこで、ＬＧＢＴだからと言って差別することは、彼らの人権の侵害に値するという意識が一般的です。同性愛結婚に反対する人は、主に一部の宗教団体とその信者であって、彼らの信教の自由があることも最高裁の判決で認められています。ですから、もはやこの課題は教義の話であって、法律の話ではなくなりました。

現在、共和党のマニフェストにはＬＧＢＴ反対とは書いていません。だから、ＬＧＢＴＱの人々は、もはや民主党を必要としていないんですよ。そのために分断政治がうまくいかなくなりました。

加瀬　アメリカ、イギリスのメディアでは、最近は、ＬＧＢＴＱに加えて、ＬＧＢＴＱＩとＩがついていますね。レズビアン、ゲイ、バイセクシュアル、トランスセクシュアル、クイアーに、インターセクシュアルの頭文字ですね。アメリカでは性別が八つに分かれるんですか。

ギルバート　アメリカのネットでみると、まだまだ性態とか、性嗜好がもっと細かく分かれていますよ。

ヒラリー・クリントンはなんで当選しなかったのか、彼女自身が分析した記録を見たことがあります。彼女はどのグループからそれぞれ何パーセント取れるという計算が、できていたんですけれども、結局、黒人は予想した計算よりも一％低かったそうです。どのグループが計算より何％低くて、それを全部足したら間に合わなかった。そのように言い訳を述べています。そのようなことを、堂々としていたわけです。

トランプはそういう分断したグループに入らない、普通の人たちを取り込みました。それに対して、分断されていた人々が、政治的に利用されているということに気づいて、その多くは、トランプの支持にまわってきたわけですね。

加瀬　しかし、アメリカでは大手メディアをはじめとして、「ネバー・トランプ」の信者が多い。日本でも、朝日新聞や、大手テレビ、護憲派による「ネバー安倍」が力を持っています。

ギルバート　先日、私は『虎ノ門ニュース』でも話したんですが、トランプを支持しているフォックス（Fox）ニュースの番組があって、その司会者がニューヨークの高層ビルに住んでいます。ジェシー・ウォーターズというキャスターですけれども、彼がそのビルのエレベーターに乗った時に、ドアが閉まりかけたところに、誰かが腕を突っ込んで開け、三人が乗り込んできたんです。

三人はウォーターズを見るなり「あ、あなたが誰だか、わかっていますよ。フォックス・ニュースのジェシー・ウォーターズでしょう。われわれはサンダースのスタッフです」と言いました。ウォーターズは何が始まるか、少し怯えたけれども、三人は「いや、今回は頑張っているよ。サンダースの応援をやっているけどね。万が一彼が大統領候補者になれなかったら、もう一回、トランプに投票するしかないね」と、言ったんだそうです。

前回、そうだったという話です。

トランプがアジアで最も信頼できるリーダーが安倍晋三

加瀬　トランプはポピュリストですが、ポピュリストだからこそ、大統領になれた。ポピュリストは悪い言葉になっていますが、いったい、ポピュリズムのどこが悪いんですか？

トランプは勘がいい人ですね。それに、信念があります。オバマ政権の外交政策は、めちゃくちゃでしたね。「アジアに軸足を動かす」と口では言ったけれども、結局はアジアを軽視して、中国が好き放題にのさばるのを、ただ、傍観していた。

ところが、オバマは黒人だから、批判しにくいんですね。黒人差別だと言われます。

ギルバート　オバマは北朝鮮に関して、「戦略的忍耐」と言っていましたね。しかも、親中でした。ですから、アジアに関しては、オバマとヒラリーは、十分な知識すら持っていなかったと思います。オバマさんが韓国に派遣した大使は中国の専門家だったんですが、韓国の暴漢に刃物で襲われて、切られたでしょう。テロですね。それで中国と韓国は違うと気づいたと思いますよ。よく考えたら、任期の最後の一年ぐらいになって、日本も違うんだと気づいた。
加瀬　オバマが黒人だから批判しにくいっていうのは、黒人差別じゃないですか。日本で同じ日本人を非難しても、「ヘイト・スピーチ」にならないけれど、韓国人や、中国人に対してそうしたら、罰せられます。これは韓国人、中国人に対する差別ですよ。
ギルバート　まあ、そうだと私も思います。
　いずれにしても、トランプさんがアジアをよく理解していたかと言うと、そうではありませんでした。
加瀬　中国がアメリカにとって脅威だということは、理解していたはずです。
ギルバート　それは、四年前の選挙期間中にはわかっていなかったんです。ですから二〇一六年の選挙の演説を聞いていると、日本と中国を一緒くたにして、悪者にしています。
加瀬　そう、そう。そうでしたね。
ギルバート　だから「中国と日本が貿易赤字でアメリカからこんなにお金を略奪しているんだ」とか、言うわけですよ。日米安保条約の重要性についても、わかっていなくて、こう言っていましたね。
「日本だって知っている？　片務的な防衛義務ですよ。日本がアメリカを守らないというのに、アメリカが、なんで日本を守らなきゃいけないんだよ。それならば、日本は在日米軍の維持費をもっと払え」と、言っていたわけです。でも、日本は米軍の駐留経費の八〇％あまりを負担しています。世界のなかで、一番払っているじゃないですか。でも、それを知らなかったんです。

それで、どうなったのかと言うと、マイケル・フリン（元アメリカ陸軍中将・大統領補佐官）が、選挙期間中にもしトランプが当選したら、すぐ安倍さんに会うように、根回しをしたわけです。トランプが当選すると、安倍さんがすぐにマンハッタンのトランプ・タワーに飛んでいったでしょう。あれは、フリンが仕掛けたんです。

この時、安倍さんはトランプと一時間半話し合いました。その間、何を話し合ったかということを、スティーブ・バロンさんがばらしているんです。

バノンさんが日本で講演したときに言っていましたけれど、トランプさんと安倍さんの初めての出会いでは、その時間の八割を、中国の脅威について、安倍さんがトランプさんにレクチャーしたそうです。トランプはそのおかげで、日本と中国の違いがよくわかりました。在日米軍の駐留費についてまだ発言していますが、でも、日米安保条約が片務的なのは、日本の憲法がおかしいからだと分かっています。しかし、憲法がおかしいと言えないから、そういう形で言うわけです。

　それに対日貿易赤字と、中国に対する貿易赤字が根本から全く違うものだと分かり、トランプさんは、中国の脅威を認識したのです。

　ですから、安倍さんはそれだけでも、首相になった価値があったと思いますね。偉大な仕事をし終わったから、今から降りてもかまいません。トランプの眼をひらかせたのは、すごく大きな成果だったと、私は高く評価しています。

加瀬　安倍さんは、やはり日本の貴重な財産だと思いますよ。

ギルバート　そうです。素晴らしい財産ですね。

加瀬　世界のなかで、安倍さんはリーダーとして誰よりも場数を踏んでいる。日本の国内がどの国よりも安定していることも、安倍さんに力を与えていますね。これは、日本の国柄でしょう。

　ぼくは安倍さんが大統領当選者となったトランプと、トランプタワーで初めて会った時から、安倍さんがトランプの家庭教師になったと、いってきました。

　ほかのリーダーといえば、メルケルはメッキが剥げて、沈没ですね。メルケルおばさまは、ドイツの国境を開放して、中東・アフリカから難民を大量に迎え入れてきました。

マカロンはフランスで、鼻つまみでしょう。イギリスのボリス・ジョンソンは、まだ新人です。安倍さんを好こうが嫌おうが、世界のリーダーのなかで抜きんでている。

ギルバート　カナダのトルードは、若僧ですしね。

加瀬　今の世界のリーダーのなかで、安倍さんが在任期間が一番長いし、しっかりしているんですよ。

それに、アジアのなかで、アメリカが信頼して頼れる国といったら、日本しかないんです。

トランプが「アメリカ・ファースト」と言うのは当然

ギルバート　私が安倍さんと去年五月に会ったときに、「新しい天皇が即位されて、いちばん最初に招いた外国の首脳が、トランプ大統領なんですけれども、どうしてでしょうか」とたずねました。

すると、安倍さんは「日本にとって唯一の同盟国が、アメリカなので、そのトップが、最初に天皇陛下に会わないと駄目だと思った」と答えました。それはそうですよ。私はそのときに、アメリカが日本の「唯一の同盟国だ」、そう言えば一つしかないと、初めて気づいたのです。

だから、アメリカは日本をなんとも思っていなくても、日本はアメリカを頼りにして縋っている。じゃあ、フリンさんたちがなんで安倍さんを呼んだかといえば、安倍さんがアジアにおいてアメリカが信頼できる唯一のリーダーだったからです。

加瀬　過度なアメリカ依存症が、日本をおかしくしていますけどね。日本国憲法が護憲派の皆さんによって、「平和憲法」と呼ばれているのは、護憲派の人々が「この憲法によって日本の平和が守られているのではなく、アメリカが未来永劫にわたって、日本の平和を守ってくれる」と信じて、いささかも疑わないからです。

護憲派の人々は、「平和憲法は不滅だ」と叫んでいますが、このあいだの大戦前に、「神州不滅！」と叫んでいた、狂信的な極右グループとまったく変わらないんですよ。

それでも、アメリカとしてアジアの国のなかで、信頼できる国といったら、日本しかないんですよ。

ギルバート　ほかに、信頼できるリーダーはいますか？　習近平はないでしょう。金正恩もないでしょうし、韓国の文在寅は論外。もちろん、プーチンは駄目でしょう。

加瀬　インドとアメリカの結びつきは、まだ日が浅い。フィリピンや、タイもねえ。

ギルバート　やはり、日本です。しかも、安倍さんしかないですよ。民主党の日本は、信用できない。鳩山由紀夫や、菅直人みたいな指導者は日本に対する信頼を害しましたね。「Fukushima 50」という映画を、見てきましたが、加瀬先生は見ましたか？

加瀬　いや、見てないです。

ギルバート　ぜひ、見てください。菅直人がいかにアホだというのがよくわかります。佐野史郎がうまく演じています。映画館もおそらく閉鎖になるでしょうから、見るなら今のうちです。ちなみに、先日アメリカで足止めされて日本に戻って来れない妻に電話したら、今日はアメリカで映画を見てきたって、言うんです。でも、明日から閉鎖だと言っていました。

加瀬　アメリカの大手のメディアや、識者といわれる人々が、トランプは衝動的、気紛れで全く予想がつかない、何を考えているか、わからない人物だというんですがね。

ギルバート　何をやるのかわからない。だから場当たり的で、勘だけで動いている。ころころ変わると、マスメディアに登場する識者がそろって言っているんですね。

加瀬　ぼくは、それは違うと思うんです。当たっていないですよ。

ギルバート　私も、それは違うと思います。加瀬先生と同じ意見です。

加瀬　というのは、今、これだけＩＴとか、ＡＩが世界を動かしているから、世界が文字通り刻々とはやい速度で動いて変化して、何が起っているか、起こるのか、予想できないんですよ。

そのように猫の目の色のようにクルクル変わる、刻々と変わる状況に対応しなければなりません。一つの戦略を定めて、そこから外れてはならないというのは、過ぎ去った工業時代の発想ですよ。

そこで、出たとこ勝負にならざるをえないんです。柔軟に、迅速に対応しなければならない。

工業時代の発想は、ＢＢＣ──「ボーン・ビフォア・コンピュータ」（コンピュータ以前に生まれた）の世代ですよ（笑）。

ギルバート　言いたいことが、いくつかあります。経営者のための興味深い本があります。タイトルは『MANAGING CHAOS』（Ralph D. Stacey 著）。「カオスをマネージ」する。カオスのなかで経営するんじゃなくて、カオス自体をマネージする。そういうところが、なかなか面白いと思いましたね。それですよ。今の国際政治は。どうなるかわかりません。

トランプさんは、「アメリカ・ファースト」「アメリカ・ファースト」と繰り返して言って、皆さんは「それはなんだよと」言うんですけど、でも、そのとおりだと思います。彼がそう言わなければ、おかしいですよね。

加瀬　だけど、日本のマスコミは、「トランプが『アメリカ・ファースト』と叫んでいるのはけしからん」と、言っている。しかし、どの国だって、自分の国がファースト「自国優先」でしょう。

日本の左巻きの人たちは、アメリカが覇権国家だといって嫌っていながら、「アメリカ・ファースト」といって、アメリカが他の諸国とかわらない国だというと、「どうぞ覇権国家に戻って下さい」と哀願するんです。

ギルバート　なんで「日本ファースト」って、言わないですか？

加瀬　ねえ。鳩山由紀夫氏が首相時代に、「日本は日本人だけのものではない」といいましたね。

ギルバート　日本のマスコミは中国をひたすら崇めて、「中国ファースト」と言っているのも同然。日本のマスコミはもうやめろよ。『朝日新聞』がそうでしょう。『毎日新聞』もそうでしょう。中国ファーストで、次が北朝鮮。それから韓国でしょう。日本はその次ですよ。これはおかしい。アメリカは「アメリカ・ファースト」じゃないといけないです。

トランプは乱暴で、破壊的なんですよね。ですから、グローバリズムの皆さんは、トランプが大嫌いなんですよ。

彼らが七〇年にわたって一生懸命に作ってきたＮＡＴＯ（北大西洋条約機構）やＮＡＦＴＡ（北米自由貿易協定）、あるいはパリ協定やＷＴＯ（世界貿易機構）、国際体制を築き上げたことに誇りを持っているけれど、トランプが突然現れてバンバンバンと壊してしまうんですからね。

初めてトランプがＮＡＴＯの首脳会談に出席したときに、本人は若干遅れて入ってきて、いきなり声を荒げて話し出しました。「おまえら何やってんだ」と外交用語なしで。「ドイツの防衛費はＧＮＰの一・二％？なんだよ、それは。いつまで、アメリカの脛を齧ってつもりだ」と、ガンガン言ったわけです。

突然のことに、みんな、「えっ、えっ」っと驚いてました。でも、背景を考えれば当然ですよ。ＮＡＴＯができたころは、ヨーロッパ諸国の経済が全滅状態だったので、アメリカの善意でつくられて、アメリカが大半の費用を負担しました。そのことに甘えていては駄目ですよ。今の現実の経済力に相応して、みんな同等の費用負担をしないと、フェアではありません。

NAFTAはどうか。NAFTAができた頃、メキシコは経済レベルが低かったから、優遇したんです。それによって、メキシコの経済が活性化されて成長すればいいという考え方でした。実態はアメリカの善意に基づく経済援助でしたが、もはやその目的を達成しています。メキシコの経済が成長したので、優遇する大義はなくなりました。だから、トランプが従来の協定を破棄して、カナダとメキシコと交渉し直して、新しい協定を結びました。

加瀬　一九五一年に対日講和条約が結ばれた時に、日米安保条約が誕生しましたが、あの時の日米の力の格差といったら、巨象と子犬のようなものでした。アメリカは世界のGDPの五〇％以上を占めていました。しかし、日本は、いまだに子犬のふりをして、尻尾をパタパタ振っている。

でも、アメリカが国際法に違反して占領下で、日本を非武装化して、丸裸にする日本国憲法を押しつけた。つまり、自業自得です。その後ろめたさがあるので、日本を蹴っ飛ばしにくい。だからこそ、日本が自分で目覚めなければいけないですね。

人間の活動が地球温暖化をもたらしている？

ギルバート　パリ協定についても、同じことです。中国をいまだに、発展途上国として扱っているでしょう。これは、おかしな話です。去年、CO_2の排出量を一番減らした国はアメリカだったんですよ。
加瀬　ぼくがトランプさんを評価している大きな理由の一つが、パリ協定から脱退したことです。ぼくは今の気象変動が、人間の活動によって起こっていないことを、信じています。
ギルバート　いや、その要素もあると思いますよ。
加瀬　大してないと思います。地球の歴史を振り返ると、気候変動は時期によって温暖化と冷却化が交替するように循環してきました。
東北に有名な縄文時代の三内丸山遺跡が、あるでしょう。あのころは、海岸線がもっと遺跡に近かったんですよ。
気象学によると、当時は今よりも世界の気温が二度以上も高かったんです。そのために海面が上昇して、遺跡にもっと近かったんですね。だけど、縄文時代に、火力発電所や、トヨタや、ニッサンなどの工場がひしめいていなかったはずです。旅客機が上空を飛び交ってることもなかったし、自動車が走りまわっていたわけじゃないですね。

人類の歴史を振り返ると、地球温暖化や冷却化によって、翻弄されてきました。

このところ、人間活動が二酸化炭素（CO_2）の排出量を増しているために、気候変動をもたらしていると、ひろく信じられているが、人はそれほど大きな力を持っているのでしょうか。武漢（ウーハン）ウイルスにも、まったく対応できません。思い上がりです。二一世紀に入っても人間は非力なのに、〝人間様〟が偉いんだという、傲慢ですよ。もっと謙虚になるべきです。

このところ、気候変動が人間が前述の排出するCO_2によって起っているといって、さかんに騒いでいる人々が、スウェーデンの一七歳になるグレタ・トゥーンベリさんを、女神か、聖女のように崇めていますね。

グレタさんは一五歳で、「気候のための学校ストライキ」を呼びかけて、百万人以上の学生が参加したことで有名になり、両親にCO_2を排出する飛行機旅行をやめさせたり、肉を食べないように説得して、〝時代の寵児〟となりました。

牛や、羊を放牧するために森林を伐採すると、CO_2が増加するといいますが、エビの養殖のために、広大なマングローブ林が消滅しています。こっちのほうが、もっと問題です。

きっと、グレタちゃんはエビも食べないんでしょうかね。

コロナウイルスのおかげで、自動車がほとんど走らず、工場が稼働せず、旅客機がほとんど飛んでいないために、中国でも、イギリス、イタリア、フランス、ドイツでも、空がきれいになっています。

まるでグレタちゃんの夢が、実現したようですね。しかし、コロナウイルス騒ぎがあと一年、二年と続いたとしても、地球温暖化に変わりがないはずです。

ギルバート　加瀬先生がおっしゃる通りです。世界経済をシャットダウンすることによって、空がきれいになって、化石燃料の消費量が減少していますが、経済は大打撃を受けています。これは、いわゆるグリーン・ニューディールを採用した将来像です。

人間に対する悪影響は計り知れません。うつ病や自殺が増えています。DV（家庭内暴力）が深刻化しています。経済面で大打撃を受けている人たちの健康が侵されて、長期的にその影響が残るでしょう。

仮説にすぎない地球温暖化のために、近代社会を犠牲にしてニュー・グリーンディールを実施したら、結末はこれです。

「武漢（ウーハン）ウイルス」と呼ぶと、中国差別と非難する愚

加瀬　新型コロナウィルスを「ウーハン・ウイルス」と呼ぶと、中国に対する差別だといって、非難されますが、これまでは大流行が始まると、その発祥した地名によって呼ばれてきました。けっして差別ではありません。ＭＥＲＳ（マーズ）のＭＥは、「ミドル・イースト」（中東）のＭＥですね。ところが、中国のお金漬けになったＷＨＯ（世界保健機構）が、ごく最近のことですが、流行病が発祥した地名や、国名をつけてはならないと規定しています。

エボラ熱はコンゴ民主共和国を流れるエボラ河から、名づけられています。河馬さんや、鰐さんが棲んでいる川です。中国になると遠慮するというのでは、コンゴの人たちに対して申し訳ないですね。鰐や、河馬も、怒るんじゃないですか。

コンゴ民主共和国の駐日大使の公邸に、夫婦で夕食に招かれた時に、大使がサルサ（キューバ音楽にジャズを加えたラテン音楽）は、もとがアフリカのコンゴのリズムだといって、ＣＤをきかされました。

近代に入ってアフリカのほうがサルサによって、中国よりも人類に大きな貢献をしてい

ますね。中国は古代に、羅針盤、版木、火薬などを発明して、文明に寄与しましたが、その後は、禍いのほかに何もありません。

ギルバート　スペイン風邪（Spanish Influenza）、日本脳炎（Japanese Encephalitis）、風疹（German Measles）なども、発祥地の地名を採用しています。

加瀬　温暖化といえば、およそ二万八千年前の最終氷河期の中期から、温暖化によって海水が増加して、六千年前あたりに、海面が四・五メートルも上昇していました。

　西暦一五五〇年から約三百年にわたって小氷河期が訪れて、ロンドンではテームズ川が凍って、そのうえで市場（マーケット）がひらかれていました。日本では、一八三三年から天保の大飢饉に襲われて、全国にわたって餓死、行き倒れがあいつぎました。

　武漢（ウーハン）ウイルスが、太陽のコロナと呼ばれる外層の輝く部分に似ているので、「コロナ」と名づけられています。

　太陽のコロナは、黒点が極大、極小期によって、地球に飛来する電子の強弱が変わって、地球の気象を周期的にもてあそんできました。

　そういえば、武漢（ウーハン）ウイルス騒ぎが始まると、日本ではトイレットペーパーが感染の予防と何の関係もないのに、スーパーや、コンビニでトイレットペーパーを買い占めする騒ぎが起りましたね。

人間活動が気候変動を招いていると、全世界にわたって空ら騒ぎに耽っていますが、スーパーにおけるトイレットペーパー騒動に、よく似ています。

ギルバート　民主党はトランプが科学を無視していると、非難しています。科学を信じないと謗っているけれども、地球温暖化は科学じゃなくて、仮説です。

加瀬　全くそうですよ。冷却化よりも、温暖化のほうが、いいじゃないですか。

ギルバート　仮説に過ぎないので、まだ、はっきりしてないんです。仮説の段階で、世界中の経済をめちゃくちゃにするのか。それはないでしょう。ほかに対応する方法があるでしょうし。

環境問題の解決に、原発は最も安全でコストも安い

ギルバート　先生はどう思うか知りませんが、環境問題を解決するために、一番手っ取り早いのは、原子力発電なんです。日本もいいとこまで行っていたんですよね。しかも原発は一番安い。核廃棄物をどうするんだということもありますが、そのコストを入れても一番安い方法なんです。

加瀬　ぼくも、熱心な原発推進派です。原発は安全なんです。日本は原爆の唯一の被爆国であるのにもかかわらず、国民が放射能について、まったく無知です。中学で放射線について、正しい知識を教育するべきですよ。

日本は世界のなかで、電気料金が高いほうです。二〇一八年の統計では、一キロワット時でイギリスと同じ〇・二二ドルです。もっと高い国は、オーストリア〇・二三ドル、スペイン〇・二四ドル、ポルトガル〇・二六、イタリア〇・二七ドル、ベルギー〇・二八ドルですが、最も高いのはダントツ、「脱原発、完全グリーン宣言」をしたドイツ〇・三三ドルです。韓国の電気料は、日本のやく半分の〇・一二ドルです。中国はインドと同じ〇・〇八ドルです。高い電力料金のために、日本経済の競争力を大きく損ねています。

そのために、全国でどこからでも電気を買えるよう自由化しましたが、関東でも九州電力から電気を買ったほうが、電気料金が五％ほど安くなります。二〇二〇年三月末日時点で、九基も稼働している（うち三基停止中）原発が、関西電力、四国電力、九州電力だけだからです。

関東まで九電から電気を送るのには、中国電力、中部電力、関西電力などの高圧線を使うために、それぞれに使用料金である託送料を払っても、九州電力から買ったほうが安いのです。

今でも、日本はペルシャ湾周辺国から、石油の約八〇％、天然ガスの約三〇％に依存してるんですね（二〇一五年現在）。ペルシャ湾の出入り口のホルムズ海峡こそ、日本の首根っこですよ。ここを抑えられたら、日本経済が窒息します。

ギルバート　イランとサウジアラビア、アメリカも巻き込んで緊張がたかまっているのを受けて、アメリカは有志連合で、ペルシャ湾を航行するタンカーの護衛、イランのテロから守ろうと促しているのに、日本は参加しないと決定しました。しかし、地域の海上交通路（シーレーン）における航行の安全を守るのは、主権国家たる日本国の責務であり、他国に委ねるべきものではない。また、現実的にその任務を果たすことができるのは海上自衛隊をおいてほかにはないという国際世論を無視できなかったので、独自で「日本船舶の安全確保に必要な情報を収集するために」、自衛隊を主にオマーン湾とアラビア海北部に派遣しました。

トランプさんがやろうとしていることについて、日本の国民はわかっていないないし、協力しようとしていない。それなのに、安倍さんが信頼されているのは、奇跡ですよ。

日本は自国の防衛を、いつでも自分でしようとしません。

自分たちの経済の基盤になる石油を、自分たちで護衛する気もありません。

　トランプさんに怒られると困るから、自衛隊が離れたところで活動するだけです。

加瀬　日本は有志連合に加わったほうがよいのに、独自で護衛艦『たかなみ』と哨戒機二機を派遣しました。すると、野党がさっそく「自衛隊を危険なところへ送るな」といって反対しましたが、それだったら、まず「非武装のタンカーを危険なところに送るな」と叫ぶべきですよ。

ギルバート　その通りですね。

加瀬　ぼくは大昔から、中東の安定は脆いから、エネルギーの中東離れを進めろと、主張してきたんですがね。さまざまな利権がからんでいるために、ペルシャ湾から足を洗うことができない。

　どうして、アラビア半島に石油を依存しなければならないのかというと、サウジアラビアの石油は、硫黄分が多くて、質がよくないんです。そこで、官民がサウジアラビアの石油を精製する施設を、膨大な投資をして作ったために、サウジから石油が入ってこなくなると、その施設が動かなくなってしまう。利権構造です。

　急いで、原発をもっと稼働させるべきですね。

ギルバート　私も、そう思います。

加瀬　九年前の東日本大震災の福島原発を、事故と言いますけど、事故は事故でしたが、一人も死んでいないんですよ。かえって、福島原発事故は原発の安全性を証明したようなものです。

ギルバート　死んでいないのに、それがあれほど大きな問題になったのは、当時の民主党政権がいかにも危機管理の素人だったからです。

加瀬　避難する必要がなかったのに、強制避難をさせたために、病院にいた高齢者が何人も死んでいるんです。ぼくは除染も必要なかったと、思いますね。強制避難地域のなかに牧場があって、多くの馬がいますが、みな健康そのものです。微量放射線は科学的に証明されていますが、まったく危険ではありません。

広島、長崎では原爆投下後に除染をまったくしなかった。市民は翌日から、野菜や、広島湾、長崎湾の海産物を食べていました。もちろん、除染もまったくしていません。

核爆発の熱線は恐ろしいんですが、残留した放射線はかえって健康によいんです。

ぼくは広島、長崎の被爆者で、被爆者手帳を持っている友人を多く持っていますが、みな元気で、長命ですよ。

ギルバート　福島弁研究家である友人のダニエル・カールさんは、加瀬先生と同じような主張をしていますが、大マスコミは中々報じません。

中国が操ったオバマ政権、アメリカの主権を明確にしたトランプ

ギルバート　トランプに話を戻すと、アメリカの主権をグローバルリズムという、よくわからないイデオロギーに委ねるわけにはいかないから、トランプさんは国と国とが話し合って、ものごとを決めよう。そうしないと、結局、アメリカがやられるんだ。やられてきたし、やられっぱなしだった、と主張してきました。

中国について、中国が「ウイルスは米軍が武漢に持ち込んだ」などと、しらじらしい嘘をついていますが、世界中がそれを聞いて笑っています。中国はさらに、武漢（ウーハン）ウイルスと言い続けるなら、アメリカに薬品の原料を輸出しないと恫喝しています。ひどい国ですね。トランプは中国がどれだけひどいか、はじめからわかっていたので、対応してきたのですよ。

ところが、オバマは最後まで何もしなかった。むしろ、ヒラリー・クリントン元国務長官が夫のビルとともに、中国からクリントン財団に多額のお金を貰っていました。バイデン前副大統領も息子を北京に連れて行って、中国中央銀行からその息子が経営している投

資ファンドに一・五億ドルの融資をしてもらったのです。

　中国はトランプが当選すると想定していなかったのです。だから、トランプが当選すると、どう対応してよいかわからなくなってしまった。トランプは政治家として経歴がないから、何をやるかわからない。そうとう困惑したらしいです。

　トランプはディールメーカーだから、駆け引きで必ず自分に有利な取引に持っていこうとします。どちらかというと、中近東的な考え方なんですね。

加瀬　オバマ政権のもとでは、中国がアメリカを陰から支配しているようなものでしたね。アメリカの主要なシンクタンクといえば、有名なところが、ブルッキングスとか、CSIS、アメリカン・エンタープライズ・インスティチュートとかありますね。みな、中国に金で買収されていたんです。もう、中国料理の定番の漬け物の搾菜（ザーサイ）のようになっていました。

　次は韓国ですね。ぼくが親しいところでヘリテージ財団もキムチのようになっていました。さすがに、文在寅政権になってから、韓国離れが進みましたけれどね。

　今やアメリカのシンクタンクは、PR会社のようですね。金を出したところに、有利な報告を行うんです。

だから民主党も、ギルバート先生が言われたように、クリントン夫人も、バイデン副大統領も、ザーサイみたいになっていたんです。

ギルバート　そうでしたね。中国はいい調子で対米政策が進んでいたんですけど、安倍さんがそういう稼働している中国の対米工作という精密機器に、石を投げてしまったんですよ。

さらに、トランプが乗り出してきて、アメリカにあった中国のマシンが回らなくなってきたんです。

例えば、孔子学院です。今ではアメリカの上院の決議によって、大学が孔子学院を設置すると、中国語の研究のための補助金を連邦政府からもらえなくなっています。事実上、禁止なんですね。スパイ造成工場だという認識が一般的になりました。

加瀬　日本の大学でも孔子学院を開設したところが、いくつもあります。

毛沢東主席時代には、孔子を悪魔視、敵視して、全国にわたって孔子廟を破壊しましたが、いまでは共産主義が魅力を失ったために、中国共産党が先祖がえりをして、孔子様にお縋（すが）りするようになっています。

儒教は日本に伝わってから、はじめて精神修養の哲学になりましたが、もとの中国の儒教は人民を治めるハウツーなのです。

中国が歴史を通じて〝政治の国〟であってきたのに対して、日本は心の国なのですね。中国は簡体字を呼んでいますが、共産政権が簡略化した漢字をつくって、中華の「華」の字は、「华」と略されています。きっと、一〇回化けるという意味ですね（笑）。どの独裁政権も、独裁体制を維持することが唯一の目的であって、ご都合主義なんです。

ギルバート　それから、ついこの間、中国の五つの新聞が、中国政府のプロパガンダ機関であると指定されて、何人かの記者がアメリカから送還されました。新聞の実態についての報告義務も課せられました。

加瀬　中国の記者は、みな中国共産党の宣伝員ですよ。それでなければ、記者になれない。

ギルバート　中国は報復措置として、『ワシントンポスト』、『ニューヨークタイムズ』と『ウォールストリート・ジャーナル』の少なくとも一三人の特派員の滞留資格を取り消すと発表しました。

加瀬　武漢（ウーハン）ウイルスが、中国の墓穴を掘ったようなものですね。

ギルバート　今までは、ケリー元国務長官でも、ヒラリー元国務長官でも、バイデン前副大統領でも、オバマ大統領でも、のさばる中国に対して、なにもしなかったんですよ。だから、中国はやりたい放題でした。それに対して、トランプは正面から対抗するわけです。

加瀬　四年前の大統領選挙で、トランプが勝ってよかったと、あらためて思いますね。一一月にオバマ政権の化石のようなバイデン政権が誕生したら、アメリカが急速に力を衰えさせることになるでしょう。化石燃料よりも、はるかに危険ですね。

第三章　世界に禍をもたらした習近平の共産中国

中国に生産を依存しすぎた米国

ギルバート　先ほどもふれましたが、今、大きな問題になっているのは、アメリカの抗生物質の九割以上が中国製だということです。

アメリカの製薬会社が、薬品の製造を中国に持っていってしまったんです。アメリカの製薬会社が売っているかもしれないけれども、製造工場は中国にある。

トランプ大統領、ポンペイオ国務長官をはじめアメリカの政治家が、「武漢ウイルス」――英語で言うと「ウーハン・ウイルス」や、「チャイナ・ウイルス」と呼んでいるのに対して、中国が「それは違う、米軍が持ち込んだんだ、何を言ってるんだ」と反発しています。そして「それは人種差別だ」というプロパガンダを広めています。本当に驚きますが、アメリカの左派メディアも、中国共産党の代弁者となって、その表現が「レイシスト」だと主張しています。腐敗している彼らはチャンスさえあれば、いつでもトランプを「レイシスト」と呼ぶ悪へきに浸かっています。そして、中国は、「そうした呼び方をやめなければ、薬品を送ってやらないぞ」と、脅しているわけです。

加瀬　一つの例ですが、日本ではお棺の九〇%を、中国に依存しています。中国には木材がないので、日本から木材を中国に輸出して、中国でお棺を製造して、日本へ輸出しています。

ところが、武漢（ウーハン）ウイルスのために、中国からのお棺の輸入が完全に停まっているので、あと二、三ヶ月たつと、日本では棺がなくなってしまいます。

マスクや、防護服などの感染症に対する医療の基礎となる消費財も、中国に依存していました。グローバリズムの落し穴ですね。生産拠点を国内に回帰させるべきです。生産拠点国外へ移すと、新しい技術の開発もとまってしまいます。今回の武漢（ウーハン）ウィルスによるパンデミックは、結局は自国しか頼れないという教訓をのこしました。

輸入に依存してはなりません。一九七〇年代に、イランや、サウジアラビアがつくっている石油輸出国機構（ＯＰＥＣ）が一方的に原油価格を値上げしたために、二回にわたって石油危機がありましたね。日本は石油の国家備蓄制度を導入しました。ぼくは一九八〇年代に入ってから、ぼくが言い出しっぺになって、クローム、ニッケル、コバルト、タングステン、モリブデンとか、希少金属の国家備蓄制度をつくるべきだと通産省（現・経済産業省）に働きかけて、希少金属の国家備蓄が始まりました。

例えばコバルトをとると、コバルトがないと、エンジンが一切つくれません。自動車も作れないし、エアコンも、冷蔵庫も作れない。当時は主要なレアメタル（希少金属）のなかに、まだレアアースが入っていなかった。今、レアアースが中国に集中して産出しているので、中国はレアアースを武器に使うんですね。まあ、他でも産出しますがね。

それと、ギルバート先生が言われた薬ですが、アメリカは中国だけではなくて、インドにも依存してるんですね。

ギルバート　アメリカに入ってくる抗生剤は、中国がもっとも多くて、その次がインドですが、インドのも原材料は中国から送られて、完成品になります。そういうことは、もう許せない。ウーハン・ウイルスが落ち着いたら、製薬会社が製造拠点をアメリカに戻さなければならないという法律が、制定されると思います。

中国はそういう脅しをかけているけれども、結局は規制されますから、自分の首を自分で絞めているわけですよ。

習近平の中国は、米国を超えられると思った

加瀬　先ほども言いましたが、ぼくはトランプ大統領が、再選されれば戦後のアメリカの数少ない偉大な大統領の一人になるだろうと思います。

それに対して、中国の習近平国家主席は、一九四九年に中華人民共和国が成立してから、最も愚かな最高権力者だと思います。

ギルバート　どうしようもなく頭が悪いですね。

加瀬　これまで、中国の権力者は狡いか、賢かったから、アメリカと正面から対決することを、避けてきました。鄧小平以来、アメリカを刺激しないように、うまくやってきたんですね。「平和的抬頭」とか言って、アメリカだけでなく、世界を安心させてきました。

もっとも、毛沢東が主席だったときに誇大妄想だったから、「超美英」（米英を追い越す。美はアメリカ）と言って、無謀きわまる大躍進運動を強行して、大失敗して、数千万人が死んだのでした。

ギルバート　野原に何十万も、まったく役に立たなかった俄かづくりの炉をつくったが、そこで作られた鉄は低品質のため、まったく使えませんでした。この政策が、中国経済を破壊しました。

加瀬　毛沢東は、一時、失脚しましたが、文化大革命というバカ騒ぎをつくりだして、再び権力を握った。習近平は、毛以降の最高指導者で、最も愚かです。

ギルバート　一番、駄目なんですね。でも、トランプ以前のアメリカの体制ならば、それでもうまくいったと思いますよ。習近平が今やろうとしていることは、露骨な覇権主義です。トランプになる前に南シナ海を、事実上取ってしまったし。トランプが大統領にならなければ、尖閣列島に上陸したかもしれません。頭が悪いから、これからそうするかもしれません。わかりませんよ。

トランプは大統領に就任してから、一〇〇日間は中国をそんなに攻めたてなかったんです。一〇〇日間猶予を与えるから、その間に北朝鮮をどうにかしてくれよと、要請しました。

その間、中国は北朝鮮に対して、影響力が足りなかったのか、やる気がなかったのか、やってみたけど失敗したのか知らないけど、何も結果が出なかったじゃないですか。

その時点で、トランプは「よし、宿題を果たせなかったから、もう駄目だ。本格的に中国を攻めよう」と肚(はら)をきめました。

問題は、トランプさんは安倍さんに教わったことは、よくわかっているけれども、アメリカ国民がわかっていなかったし、民主党もまだ納得していなかった。例えば、孔子学院のように、中国をまだ甘くみている教育機関もあるし。それから、中国に投資している、アメリカの大企業も、巨大な利権がありますからね。

中国を打倒するとなると、最初は苦労したわけですよ。アメリカの中から抵抗があったけれども、圧力をかければかけるほど中国からボロが出てくるわけです。それがなんで出てくるかと言うと、習近平がアホだからです。

加瀬　ところが、ぼくは習主席に同情しているところが、あるんですよ。

ギルバート　かわいそう？

加瀬　さっきもいいましたが、アメリカのリベラルな大手の新聞やテレビが、トランプの下でアメリカが分断されて、アメリカが力をどんどん失っていくということを、盛んに報道するので、習近平もアメリカのマスコミにすっかり騙されてしまった。そう思うと、気の毒です。

中国はアメリカを怒らせたら、とても敵わないですよ。経済から言っても、中国はアメリカの寄生虫のような存在です。その中国が、南シナ海に七つの人工島を埋め立てて作って、軍事化したり、中国からヨーロッパまで、覇権のもとに置こうとして、一帯一路戦略を進めたり、アメリカを凌駕しようと思っていたのでしょう。

習主席がオバマ政権のときに、ワシントンを国賓として訪れて、ホワイトハウスの前庭で記者会見を行って、「南シナ海の人造島は、絶対に軍事化しない」って、言ったんですね。

それなのに軍事化しました。アメリカ人は何よりも嘘つきが、嫌いですね。

ギルバート　習近平は大嘘つきですよ。そういうこともあって、トランプさんはアメリカの世論を考えないで学者の意見や、野党の利権関係者に屈せずに、中国と対決しています。

今回のウイルス騒ぎが始まると、中国人のアメリカへの渡航を禁止したし、その前から二五％の関税もかけてしまいました。

アメリカの中国に対する世論を、トランプさんは、左派メディアと左派学者を除けば、完全に変えたのは偉大な業績です。あれだけ中国に頼ったり、中国で儲けたりして、中国中毒にかかっていた世論や、利得者を改宗させてしまったのです。

中国と癒着したルーズベルト、キッシンジャー、そして…

ギルバート　そういえば、日本が戦った相手のフランクリン・デラノ・ルーズベルト大統領のお母さんの姓は、「デラノ」なんです。息子はフランクリン・デラノ・ルーズベルトでしょう。お母さんはデラノ一族の娘ですけど、デラノ一族の富はどこからきたのかと言うと、中国とのアヘン貿易ですよ。
清国相手のアヘン貿易で膨大な利益を上げて、その金をアメリカに持って帰った。そして、マンハッタンの岸を洗うハドソン川の上流に広大な土地を買って、広壮なデラノ邸を建てたわけです。そのお嬢様が、ルーズベルト大統領のお母さんです。だから、ルーズベルトは根っからの中国贔屓でした。第二次世界大戦が起った理由の一つは、彼は日本を嫌っていたからです。中国が好きだったんですよ。

加瀬　祖父は二四歳で中国にわたって、一〇年間クリッパー船――帆船ですね――を使って、中国とアヘン貿易をし、それによって、大儲けをしました。その祖父は阿片戦争に当たって、「正義の戦争だ」と発言したことで、よく知られています。

　ぼくはルーズベルト邸を見たことはないけど、ルーズベルトの伝記によると、邸内に中国の財宝が処狭しと並んでいて、ルーズベルトが子どものころから、朝食、昼食、夕食の合図は、召使いが中国の骨董のドラを鳴らすことだった。ルーズベルトは幼いころから、このドラの音によって中国贔屓になってしまった。

ギルバート　すごい家ですよ。そして第二次大戦後になってからの中国贔屓と言えばキッシンジャーがでした。

加瀬　ぼくはフォード大統領と親しくて、フォード大統領から「あなたの友情と知恵に深く感謝する」って書いてある、署名入りのポートレートを贈られているんです。キッシンジャーはフォードの国務長官でしたね。

ギルバート　ニクソンのときからですね。

加瀬　そう。フォード大統領とキッシンジャーと、夕食を共にしたこともありますが、大統領がちょっと席を外すと、それまでおべっかを使っていたのに、その場ですぐ悪口ですよ。人品がじつに卑しい人です。

　キッシンジャーは何回か会ったことがあって。ぼくが「あなたはどうして日本人よりも、中国人が好きなのか」とたずねたら、「中国人はわれわれと同じように、論理的だ。だから何を考えているのかがわかる。あなたがた日本人は黙っているから、何を考えているのか、よくわからない」と言った。アメリカ人にとってそうだろうと、思いますね。

ギルバート　そういうふうに見えるかもしれないけど、日本を知れば、知るほど考えていることが、わかりますよ。並みのアメリカ人はその努力をしていないと、思うんですがね。

加瀬　それからもう一つは、キッシンジャーは何よりもお金が大好きですね。

ギルバート　そうですか。

加瀬　キッシンジャーにとって、中国はお金になるんですよ。

ギルバート　それも、ありますか？

加瀬　もう一つは、ニクソン大統領が中国に行って、世界を驚かせた。日本にとって、〝ニクソン・ショック〟でしたね。米ソ冷戦が続いていて、アメリカは中国を取り込もうとしました。中国はいつ中ソ戦争によって、ソ連軍が攻め入ってくるかと、不安にかられていました。アメリカはベトナム戦争を戦っていましたから、中国が北ベトナムを支援していたこともあって、中国がベトナムを支援するのを、やめさせたかったんです。

ニクソンが中国に入って、世界を驚かせました。ニクソンが毛沢東と会いましたが、中国が建国以来、宿敵だったアメリカの大統領を、赤絨毯を敷いて歓迎するのを仕組んだのが、キッシンジャーでした。キッシンジャーが秘かに北京に乗り込んで、この驚天動地のような外交が行われたのです。キッシンジャーはこういう戦略を立てるのが、得意なんですね。

ギルバート　私が前に聞いたのは、アメリカがいつまでも本当の中国は台湾にあると言っていたけれども、あまりにも現実と合わなくなってしまったから、中国を認めるしかないと思ったと聞いていますが、そうでしたか？

加瀬　それよりも、ソ連に対抗するために、中国と手を結ぼうということだったんじゃないですか。

ギルバート　ケリー元国務長官がいましたね。バイデン前副大統領の息子が、ウクライナのガス会社の取締役になって、高給をせしめているじゃないですか。一緒に役員になったのは、ケリー国務長官の息子なんです。でも、すぐにヤバイと感じて辞めました。だけどバイデンの息子は中国に行って、金儲けをしたんです。アメリカの外交に悪乗りして、儲けようとする、アメリカの政治家がそうとう乱れていました。

加瀬　アメリカはイギリスや、ヨーロッパを見限って、新天地を求めて〝新世界〟と呼ばれたアメリカ大陸に渡って移民が築いた国ですから、ヨーロッパの階級社会のように生まれながら所属する地縁も階級もなくなったので、お金がすべてで、社会地位を決めましたね。いまでも、多分に拝金社会となっていますよ。

このまま行くと、バイデン前副大統領が、八月の民主党大会で大統領候補として決まるので、バイデンの息子のスキャンダルが、大きな重荷になるでしょうね。

ギルバート　なると思いますよ。今、調査をされているんです。民主党が過半数を占める下院でやってもらえなくて、上院で調査を進めています。もちろんマスコミがあまり取り上げていません。アメリカのマスコミは、ネバー・トランプで、バイデン贔屓なんです。もう一つ、セクハラのスキャンダルが浮上しています。大マスコミがなかなか取り上げてくれないけれども、最近はケーブルテレビや他のメディアやインターネットで「炎上」して、大きな話題になっています。

だから、大マスコミはバイデンにとって不利なことを報道しないんです。最近までFoxニュースも、ウォールストリート・ジャーナルも、そんなに取り上げていませんでした。民主党としていまは静かにしておいて、コロナウイルスの騒動の中で収まることを期待していたようです。バイデン自身はとうとう、やむを得ず正式に否定したのですが、民主党は慌てて、組織的に女性の主張を矮小化しようとして、本選挙で大問題になることを警戒しています。

中国で「武漢（ウーハン）ウイルス」は、本当に収束したのか？

加瀬　今度のウーハン・コロナウイルスですけど、中国でネットによって報じられましたが、武漢で初めてウイルスの災いが始まったのは、一一月一七日だと言うんですね。それまで情報を隠蔽（いんぺい）していた中国政府が、ようやく認めたのが、一二月八日でした。

もっと早いときに有効な手を打っていたら、このように世界に広がることがなかっただろうと、言われています。中国の共産体制のおぞましい隠蔽体質が白日のもとに曝（さら）されました。そのうえで、アメリカのせいにする。世界のますます鼻つまみになって、中国を嫌いになりますね。

今、中国は生産を再開しないと、習近平体制が持たないから、コロナウィルスを抑え込んだと発表しています。でも、そんなことは、ありえません。

ギルバート　大胆な予想かもしれませんが、習体制は、持たない可能性が高いと思いますよ。仕事に戻れと人民に命じても、皆さんなかなか、仕事に戻らないようですよ。

加瀬　中国はコロナ騒ぎが収束に向かっていると言って、人民に習近平主席に「感謝すべきだ」と命じています。中国全国にコロナウイルスを終息させたといって、「感谢您习大哥」（習兄貴に感謝せよ）という、大きな看板をたてています。もう、あきれるほか、ないですね。どうして、ウイルスが広大な地方へ拡散するのを、防げたるでしょうか。

ギルバート　私は「防げた」とは信じることができません。嘘なのか、真実なのか、中国から新しい情報が封じられています。そこで米国政府の情報機関が捜査を始めています。議会では、州や一般市民が中国や中共を訴えることができるように、法改正を検討しています。さらに、トランプはＷＨＯに対する拠出金を一時停止しました。そういう動きもあるからなのか、四月一七日に、報告していた武漢の死亡者数を一・五倍上方修正しました。

いずれは真実が明かされると思います。習隠蔽、あっ、失礼。習近平率いる中国共産党は、その隠蔽工作によって世界にもたらした甚大な被害に対する責任を取らされるでしょう。

コロナウイルスはパンデミックになっていますが、かつてもありました。古くから今も続いているのはマラリアです。

加瀬　マラリアをとると、人類にとって古い、古い感染症ですが、いまだにワクチンがつくられていません。『平家物語』や、鴨長明の『方丈記』を読むと、当時、首都だった京都が恐ろしいパンデミックに襲われた記述がありますね。このパンデミックのために、平清盛が現在の神戸市にある福原に、首都を移す遷都をしました。

清盛は一一八一年に熱病に苦しんで死んでいますが、マラリアだったといわれています。「マラリア」はイタリア語で「汚れた空気」を意味していますが、昔の人々はそう思ったのでしょう。清盛は中国の宋と盛んな貿易を行って、宋の貿易船がマラリア蚊を積んできたといわれます。

いまでもマラリアを媒介するハラダラ蚊をネットなどを使って防ぐのが、いまでももっとも有効な方法となっています。

ギルバート　近代に最も酷かったのは、一九一八年のスペイン・インフルエンザでした。

世界の全人口の三分の一を占める五億人が感染し、死者は五千万人に上りました。

一九八一年ロスアンジェルスではじめて発症例が報じられたＨＩＶ／ＡＩＤＳ（ヒト免疫不全ウイルス）のパンデミックによって、二〇一八年までに七五〇〇万人が感染し、三二〇〇万人が死亡しています。治療法が進化していますが、ワクチンは未だに実現できていません。

加瀬　四〇年もたつのに、ワクチンがいまだに開発されていないので、コロナウイルスを抑え込むワクチンについても、楽観できません。

ギルバート　それ以外に、エボラ（一九七六年から二〇一六年まで二四回流行）、ＭＥＲＳ（マーズ＝中東呼吸器症候群）（二〇一二年）があったんですけれども、これらはうまく終息させることができました。

それぞれの現地の政府が情報を公開して、ＷＨＯや、アメリカからの専門家を自由に入れて、活動させました。エボラについては、アフリカに医療機関があまりないのに、抑えることができたのは、アフリカ諸国がアメリカの専門家を自由に入れたからですよ。

中国は今日に至るまで隠蔽し続けているわけですから。実際に終息に向かっているのかどうか、わかりません。

世界に「武漢（ウーハン）ウイルス」が広まった責任は、中国にある

加瀬　中国の武漢、北京、上海など、大都会には医療施設があるけれど、地方へ行ったらないでしょう。

武漢にあった生物兵器研究所から、ウイルスが流出したという説がありますが、ぼくは信じません。コロナウイルスの致死率は、せいぜい一〇％前後でしょう。それに若い人が感染しにくいと言われています。生物兵器だとしたら、間が抜けてますよ。もっとも、研究中だったウィルスが間違って外へ洩れた可能性はありますね。いずれにせよ、初期段階で情報を隠蔽した罪は重い。

ギルバート　最初、中国は武漢のウェットマーケット（生きている野生動物等を食料品として販売する市場）の動物から人間に移ったと説明したけれども、この説はほぼ否定されています。

米国情報筋は、中国科学院武漢ウイルス研究所の中で、蝙蝠の糞尿にある極めて危険なウイルスを研究していたことを確認しています。二〇一八年に、武漢に赴任している米国

外交官と在中北京大使館の化学外交官が実際に研究所を訪れました。その後、二〇一八年一月一八日に、安全対策が非常にずさんであり、パンデミックになる可能性があると警告する通信をワシントンに送りました。四月一四日のワシントンポスト紙に、その通信を見た記者の報告が掲載されました。研究所の職員が扱いを誤って、動物から人間に移って、その後職員から広がったと思われています。そこから隠蔽工作が始まり、全世界が損害を被ったわけです。

この説が確認されたら、中国共産党の罪は確定されます。いち早く正しい情報を全世界に公開すべきだったのに、隠蔽したのですからね。

中国がそういう体制なので、言っていることは信用できません。緊急に設置した仮設病院を解体していると。そういう映像もありました。

加瀬　終息しているって宣伝しているんだから、当初つくった急造施設を解体するのが、一番宣伝材料としていいじゃないですか。

ギルバート　武漢では終息したと宣伝しているのに、一旦開放した映画館を再び閉鎖していますね。どうも、中国の皆さんは仕事に戻らないようですね。これからどうなるかわかりませんが、中国からのサプライチェーンは、まだ信用できないし、期待できないでしょう。

加瀬　武漢でコロナウイルスが発生するかなり前から、中国で賃金のレベルがあがっていたので、多国籍企業がベトナム、ミャンマー、東南アジア諸国に生産基地を移し始めていました。そこに、コロナウイルス騒ぎが発生したんですね。このため、台湾も、回帰といっていますが、台湾へ戻すようになっています。

ギルバート　台湾はコロナウイルスの広がりを、うまい具合に防ぎましたね。

加瀬　多くの中国の民衆が、中国共産党の政権を信用しなくなりました。習近平体制が続かないかもしれないですね。

ギルバート　先ほど言いましたが、続かない可能性が高いと思います。それに共産政権のもとで経済が成長していたから、民衆は政権がおかしいと思っても、満足していたんです。

加瀬　だからといって、人民が立ち上がって共産党を倒すとは、考えられません。やはり、党内で習を交替させるのでしょうね。建国の父だった、毛沢東だって、大躍進運動に失敗したために罷免されたんですからね。

トランプ大統領は、共産中国の解体を狙っている

ギルバート　先ほど先生が、トランプについて「偉大な大統領」と言ったけど、アメリカ

で偉大なヒーローとみなされている大統領は、四人しかいないんです。

建国の父のジョージ・ワシントン。奴隷を解放して、アメリカの分裂を防いだ、アブラハム・リンカーン。三番目は、フランクリン・ルーズベルトですが、ルーズベルトが使った手段は実にひどくて、ソ連をはじめとした共産主義者に操られていて、倫理的、道徳的には全く落第した人ですが、結果として第二次世界大戦によってアメリカを世界の最強国にしたんです。

四番目がケネディだと思う人が多いけれども、正解はロナルド・レーガンです。

加瀬　ケネディは暗殺されたから、ヒーローになりました。

ギルバート　そうなんです。ベトナム戦争を始めたのは、ケネディです。

レーガンは、何が偉大だったかというと、共産主義をぶっ壊したことですね。私はトランプが、五人目を目指していると思います。本人は意識していないかもしれませんが、中国の共産党体制をぶち壊したいのです。その目標を成し遂げることができれば、間違いなく偉大な大統領の仲間に追加されると私は思っています。

加瀬　そう狙っていると、思いますね。レーガンがソ連を屠った。トランプは共産中国という暴れ龍を屠りたいと、決めているでしょう。

ソ連が解体したのは、そんな力もないくせに、東ヨーロッパの衛星諸国を維持し、アメリカに対抗する軍事力をつくって、世界を共産化しようとして大軍備を整え、背伸びして、アジアからアフリカ、中南米まで、援助をバラまいて、無理したからでした。

中国は一帯一路計画を進めるなど、一連の轍を踏んでいます。第二のソ連ですね。

ギルバート　繰り返しになりますが、トランプは共産中国を解体しようと、狙っていると思います。習近平があまりにも頭が悪いから、ひょっとしてうまくいくかもしれません。

例えば香港の民主化運動が高まっている時に、なんで容疑者移送法案を制定しようとするのか。香港のデモクラシーを少しずつ少しずつ、抑え込もうと思っていたのだろうけど、香港市民は当然のことに、中国の指し金に対して反対するでしょう。市民感情を理解しない市民の反対の炎に油をそそいだのは、愚かでした。過ちに気付いてすぐに法案を撤回すればよかったのに、無神経に香港市民を虫けらのように、踏み潰そうとしました。

加瀬　ぼくは先に、日本の左の皆さんの人権意識に触れましたが、自分たちだけの「人権」だから、うさん臭い「贋物（にせもの）」の人権ですよ。

香港の人々の人権なぞ、どうでもよいんです。香港市民がアメリカの星条旗や、オーストラリアの国旗や、台湾の緑色の独立旗を掲げていましたが、一度として日の丸を見なかった。悲しいですね。

幕末から先の大戦に敗れるまで、植民地支配のもとにあったアジアの諸民族を解放して、自由をもたらすことが、日本の国民の夢でした。

ギルバート　トランプさんが書いた『The Art of the Deal』という本が、ベストセラーになっています。ディールをするときには、押して引く、押して引くというのが、大変効果的な戦略ですよ。

習近平は、押すだけです。引くべきところを、そうできないんですね。流石独裁者です。香港にそういう容疑者移送法案を提案して、猛反対にあったから、引けばよかったんです。引けば、市民側が安心するから、しばらくしてもう一回、少しずつ押して引く、押して引く戦略を繰り返している間に、戦略がうまくいったかもしれないけれども、イデオロギーに染まって硬直しているものだから、押すことしかできない。

アメリカの民主党も、そうかもしれません。自分たちに不利なのに、「グリーン・ニューディール」だの、「化石燃料は絶対やめる」とか、自分たちの支持基盤であるはずの労働組合の皆さんも反対する国民皆健康保険制度を強行しようとする。イデオロギーに染まっているから、習近平に似ているわけですよ。

習近平は、南シナ海に埋め立てた人工島に軍事拠点を決して作らないと約束したって、作るんですよね。退くことを、知らないですね。

海軍をつくっても海洋勢力になれない習近平中国の崩壊

加瀬　二〇一三年に習近平が最高権力を握ったときに、もし、ぼくをアドバイザーとして雇ったとしたら、習さんに大海軍の建設だとか、膨大なお金を巨大な軍事力に注ぎ込むのは、ムダだからやめなさいと忠告したでしょう。

特に、海軍ですね。大海軍を建設しても無駄になるから、その金を日本をはじめとするアジア諸国にどんどん投資して、大勢の観光客を送り込んで、お金漬けにしたらよい。そうすれば、今ごろ、日本は「日中友好、日中友好」の合唱で、中国の勢力圏に組み込まれていただろうと、思うんです。

ところが、全く役に立たない大海軍の建設を始めたんですよね。今、航空母艦を二隻持っていて、四号艦まで急いで造っているところですね。

中国が大海軍を作っても、海洋勢力にはなれないんですよ。海洋勢力というのは、海洋諸国と同盟関係のネットワークを作らなきゃ、いけないんです。

ただ、大きな海軍を作るのでは、ツアー（ロシア皇帝）のロシア帝国が大海軍を造ったのと同じです。結局、日露戦争の日本海海戦で、すべて海の藻屑となって失ってしまった。もう一つの例は、第一次世界大戦前のドイツです。カイゼル皇帝がイギリス海軍と肩を並べる大海軍を造って悦にいったけれど、これもまったく役に立たなかった。海洋勢力じゃなかったからです。

だから、中国の習さんの大海軍も、全く役に立たないと思います。習主席は、頭が悪い。かえってアジア諸国が中国を恐れて、中国は孤立することになるのですよ。ぼくは習さんに、日露戦争の時の『バルチック艦隊戦記』を贈りたいですね。バルチック艦隊は戦艦の数では、日本を大きく上回っていたけれど、日本がイギリスと結んでいたから、バルチック艦隊は日本海に来るまで、途中で補給するのに苦労した。

ロシアは海洋勢力でなかったから、東郷艦隊によって壊滅されました。習さんの大海軍は、京劇の舞台装置のようなものですよ（笑）。

ギルバート　中国はトランプのやり方に、今までのやり方と違うから、対応できないんですよ。彼らはよく理解できていないのです。

トランプ大統領の側近が、朝起きると、大統領のツイッターを見て、その日の仕事を決めるというんですね。三五、〇〇〇フィート上空から全体を見ていると、トランプさんに大きな戦略があるのはわかるんです。この言い方は、日本語にないと思いますが。

じゃ、トランプ・ドクトリンとは何かと。それは、アメリカ・ファーストではあるんですが、ほかの国々にフェアな体制で協力してもらうのが一番大切なんですね。そういう意味では、日本はまったく遅れていて、トランプの期待に応えていない。

加瀬　習近平体制が倒れた場合には、中国がどうなるか。内乱におちいったら、第二次大戦前の中国のようになってしまいます。

それよりも、畏縮した習さんの中国が、しばらくは続くんではないでしょうか。アメリカのような合衆国になってくれれば、よいですけどね。中国が無政府状態におちいっていたので、日本が日支事変といって、ＰＫＯ——平和維持活動を行っていましたが、あのような状態に戻ってしまう。難民が日本に押し寄せたら、悪夢です。

ギルバート　何度も言っていますが私は習体制が倒れる可能性が十分にあると思います。ウイルスでアメリカがめちゃくちゃになっていますが、いま中国もめちゃくちゃになっているはずですよ。

第四章　グローバリズムか国益か——激変する世界観

「バイデン大統領」が誕生したら、米国はどうなる？

加瀬　ここで、ケント先生に伺いたいのは、アメリカで万一、バイデン大統領が誕生した場合には、どうなりますか。アルツハイマーのバイデン大統領が、四年持ちますかね、健康と、判断力が。

ギルバート　いくつか、シナリオを考えてみましょう。バイデンが大統領になって、民主党が上院も下院も、支配することになると、最悪の事態になります。そうするとまずは増税します。経済が停滞します。国民のなかで福祉に依存症が増えて、社会が脆くなります。おそらく、ディープステート、つまり選挙で選ばれた政治家、あるいは政治家を選んだ国民の意思を無視して、リベラルの官僚や学者、財界のトップ、産業界経営者のトップがハイブリッドの連合体を成して、政府や国を統治するようになります。それぞれの思想、特別利益、既得権を最優先に追求して、腐敗も増えると思います。

　国際的にと言うと、バイデンを真面目に受け止める世界の首脳はいないと思います。

加瀬　そうでしょうね。

ギルバート　最初は、トランプも、「なんだ、こいつ。不動産王が」と、重く受け止められなかったんですね。

でも、トランプはそれにおかまいなしに、乱暴にとでも言えるくらい、振舞ったんです。今では、ああいう破壊的なやり方、対立的なやり方が好きではないかもしれないが、トランプを重く受け止めなければならないことが、わかっているんです。

加瀬　創造的な破壊は、必要です。アメリカの経済学者のジョセフ・シュンペーターの、「クリエイティブ・ディストラクション」を訳したものですね。

ギルバート　バイデンになれば、それはまったくなくなりますね。世界はバイデンの言うことに、耳を傾けることはないと思います。

そうなると、北朝鮮も、中国も、暴走するでしょうし、イランもそうなると思います。

加瀬　今度、わが日本では安倍さんが四選をすることを、ぼくは強く願っていますが、しなかった場合には「ネバー安倍」の面々が喜ぶとして、後継者によってはどうなるのか、心配ですね。

ギルバート　安倍さんが四選をしなかった場合はどうなるのか、わかりません。誰になったかにもよるけれども、大統領制と異なっているので、首相本人が安倍さんのような強いリーダーではなければ、政党をまとめることができなくなって、政治家よりも官僚主体になり、その官僚が暴走すると思います。

バイデンに戻りましょう。バイデンが大統領になったけれども、共和党が上下両院、もしくは片方しか取ることができなかった場合は、バイデンは何もできなくなります。何もできなくなるので、膠着した状態が、四年続きます。リベラルの暴走を議会が引き止めるだけで、思い切った政策は何もできなくなります。オバマ政権の時に似てきます。

加瀬　アメリカの大手のマスコミは、FOXニュースを除けば、みんな民主党と結んでいますから、今でもトランプによってアメリカがめちゃくちゃになったと、書いていますね。

ギルバート　書いていますが、実はそうではないんですよ。まったく逆です。「ネバー・トランプ」を唱えている彼らが、めちゃくちゃにしているんですよ。

加瀬　おっしゃるとおりですね。

ギルバート　なので、トランプが大統領に再選されて、しかも上下両院ともが共和党になったとしましょう。すると、トランプ改革が高速度で続きます。

じゃあ、トランプが再選して、上院が民主党になった場合は、内戦になるくらい対立的なことになるでしょう。上下両院を民主党が取って、トランプが大統領になれば、これは大変です。無駄な火花ばかり、飛ぶことになるでしょう。

加瀬　アメリカは、トランプ政権のもとで、三年以上たちましたが、アメリカは力を増していましたね。

ギルバート　経済的にも、軍事的にも、外交的にも増しています。

トランプは自ら「戦時下の大統領」と宣言した

加瀬　ところが、いま言われた悪いシナリオというと、バイデン大統領が登場することになると、ほんとうにアメリカは力を失っていきますね。

ギルバート　でも、バイデンが当選したとしても、ボケているので、憲法第二五条で、任務遂行不能と判断をした場合に、副大統領が代行し、大統領が死亡したら、副大統領が大統領になります。そこで、誰が副大統領になるのかが、大きな課題です。通常の選挙だと、副大統領がだれだれだからと言って、選挙の結果が変わることがあまりありません。しかし今回は注目されると思います。

カリフォルニア選出の上院議員のカマラ・ハリスが有力な候補です。ジャマイカ出身で黒人の父親とインド人の母から生まれた女性です。ダイバーシティ（多様性）を重んじる民主党では、それだけを考えれば適任かもしれません。元カリフォルニア州の司法長官ですが、私から見れば、性格が非常にきついので、魅力を感じません。

バイデンは女性を選ぶと言っています。エリザベス・ウォーレンは、自分がなってもいいと明言しています。しかし、極左で、高齢で、予備選挙ではあまり支持を得られませんでした。

上記の二人も含めて、一一人いるそうです。今、ミシガン州知事のグレッチェン・ホイットマー氏が注目されています。女性で四九歳です。ただ、コロナの対応で強い批判を浴びているので、可能性は薄くなりました。まあ、どっちにしろ、バイデンがトランプに勝てるとは思えないので、副大統領候補にそれほど興味はありません。

加瀬　もし、バイデンさんがホワイトハウスの主（あるじ）になったら、七八歳の大統領になります。本人もそう言っているように、「一期限りの大統領」となります。そこで副大統領候補は、これまでになく重要な存在となりますね。バイデン大統領の次の大統領となる可能性が高い。バイデンはアルツハイマーだから、一期つとめられるか、不安があります。民主党は女性票とマイノリティ（少数民族）票を狙うために、女性で、黒人か、ヒスパニックということになるのでしょうかね。トランプ大統領は今回の武漢（ウーハン）ウイルスの襲来について、自ら「戦時下の大統領」だと述べていますが、アメリカ国民には非常時に当たって、大統領のもとで結束するという伝統がありますね。

それに、こんな危機ですから、トランプ大統領は毎日、テレビのニュースに取り上げられているために、バイデンの影がすっかり薄くなっています。

ギルバート　州ごとの予備選挙が続いているけれど、残った州の殆どは、ウイルスのため延期しています。しかも、サンダース氏がバイデン指示に回ったので、事実上、唯一の本選挙の民主党候補者として残っているバイデン氏に決まっています。

まったく話題になりませんが、予備選挙のたびに同日に共和党の予備選挙も行われています。対抗馬も数人いますが、共和党の予備選挙では、参加したほぼ全員がトランプ氏に投票しています。今までに行われた予備選挙の結果をみると、民主党の候補者全員に投票した人数を合計して、トランプ氏に投票した人数と比較して、トランプのほうがずっと上なんです。つまり、その数は民主党の合計を大きく上回っています。予備選挙はトランプが絶対に勝つのに、なぜ共和党の人々がわざわざ投票しに出かけるか、しかも、このウイルスが蔓延している中で、なぜかというと、トランプ支持を意思表示したいからですよ。そのたゆまぬ熱意が恐ろしいほど高まっています。トランプがウイルスにやられない限り、再選が確実だと思いますす。支持率が上がっていますし。むしろ、武漢（ウーハン）ウイルスが広がっているさなかに、いつまでも政局ばかりやっている民主党の下院議員、上院議員は、かなり評判を落としています。

大統領が三月一三日に緊急事態宣言をしたことによって、五〇〇〇億円の緊急援助資金を連邦政府が提供できるようになりました。同時に、健康関連の規制を大幅に緩和しました。国民に極端な自粛を呼びかけました。具体的な対応策は各州の知事の判断になりますが、殆どの州では学校、劇場、教会、レストランその他の中小企業が閉鎖されて、一〇人以上集まることが禁止されました。自宅待機やテレワークを呼び掛けています。

それからの四週間で三〇〇〇万人以上が新たに失業保険を申請しました。特にサービス業、中小企業とその従業員、個人事業主は甚大な被害を受けています。それ以外、航空会社、観光関連などの大企業も大きな打撃を受けています。

連邦政府援助策として、四つの法案が可決されて、実施されています。

第一弾では、八三〇〇億円は、主に自治体を含めて医療関係の団体と活動、ワクチンなどの研究の資金、中小企業の資金援助（ローン）として七〇〇〇億円が含まれていました。

第二弾では、検査費の無料化、中小企業の援助として病気有給休暇、家族有給休暇の援助金、（休校している子供も含めて）栄養上の援助、メディケア加入者のための電話による診断費の個人負担分が含まれています。

第三弾では、二二〇兆円は、中小企業への条件付き貸付金、個人への給付金、学生ローンの一部免除、大企業への融資、自治体への援助金など、として備えられています。中小企業への貸付金が早々と底をついたので、第四弾は四月二四日に可決されました。

第四弾では、約五〇兆円は、中小企業への条件付き貸付金の補充、病院への援助などが盛り込まれています。

第三弾の審議に当たって、下院議長のナンシー・ペロシが、危機に便乗して、左派が推し進めたいリベラル政策のための資金を盛り込もうとしました。例えば、国の人工中絶の費用負担、労働組合の権利の強化、二週間の有給病気休暇の強制、航空会社に貸付または融資をする場合、CO_2排出規制を強要することを含めてニュー・グリーンディールの一部、メディケア受給可能年齢を六五歳から六〇歳に引き下げる（国民皆健康保険への第一歩）などなど、火事場泥棒のごとく法案に挿入しようとしました。

緊急に可決しなければならない法案なのに、そんなインチキは認められないと共和党が強く抵抗したので、審議が一週間遅れました。共和党が批判される可能性があったけれども、あまりにもひどい策略なので、コロナウイルス対策に関係のない殆どの条項が否決されました。

この茶番劇のお陰で、緊急に援助金を必要としている国民への対応が届くのが一週間遅れました。これからの大統領選挙で、共和党が大いに使える材料です。

緊急事態の時に苦しんでいる国民の利益を犠牲にして、リベラルのイデオロギーを優先したことは、選挙で不利に働くと思います。そんな時に政局をやってはいけないのが常識です。

トランプの「反中」政策に、左翼の「反トランプ」印象操作も霧散！

加瀬　トランプ政権が発足してから、アメリカの野党は、日本の野党と同じように、見当外れのことばかり熱中してきました。ロシア疑惑とウクライナ疑惑で、あれだけ大騒ぎしていましたが、何もボロが出てこない。

ギルバート　モリ・カケ問題みたいなものですね。

加瀬　トランプ大統領に対する「impeachment」（弾劾）も、全く空回りしてしまいました。

ギルバート　しかも、議会が弾劾に囚われている間に、コロナウイルスがアメリカに侵入しました。幸いにして、大統領は弾劾裁判を無視して早めに対応しましたが、民主党の責任が大きいと思います。

ギルバート　そっくりです。

加瀬　日本の野党が「桜を見る会」で大騒ぎをしていたのと、よく似てますね。

トランプさんが当選した二〇一六年の選挙で、上院も下院も共和党が過半数の議席を獲得しました。しかし、それなのに最初の二年間、メキシコから流入する不法移民を阻止する問題などを、どうして解決できなかったのか。この背景は単純なんです。

トランプが共和党の大統領として当選したときに、共和党すべての支持を得ることができなかったのが大きな理由でした。そよ風に乗って突然現れた新人に対して、従来の共和党を支配していた組織が、拒絶反応を起こして非協力的だったのです。その代表例の一人が、二〇一二年に大統領選挙に立候補し、二〇一六年に上院議員に当選したミット・ロムニー氏です。今もトランプに対立的な姿勢を取っています。

それから、「ネバー・トランパー」勢力が支持しませんでした。トランプの性格ややり方が生理的に嫌いだという人たちです。

それから先ほど説明したディープステートも粘り強く抵抗しました。

トランプが当選した日に、選挙解説番組に私は出演しましたが、「これから民主党との意見を摺り合わせるのは大変ですね」と言ったコメンテーターに対して、私は、「いや、そうではない。トランプさんにとって今から一番大きな課題は、どのようにして共和党内の意見を取りまとめて、自分の支持層に取り込めるかです」とコメントしました。ネバー・トランパーが多かったし、ロムニーのような従来の共和党支配層が、一つの派閥のように法案に反対したり政策を支持しなかったりしていました。

党員を統一することができなかったので、トランプ政権のはじめの二年間は、トランプが公約として掲げていた健康保険の法整備、インフラストラクチャーの基本整備と、国境問題についての合意ができませんでした。二〇一八年の中間選挙で、民主党が下院議員の過半数を獲得しました。どうして民主党が下院で過半数を取れたかというと、ロシア疑惑がまだ続いていたからです。

基本的に民主党はヒラリー・クリントンが当選しなかったことを認めることができなかったのです。選挙の前から、オバマ政権下のＦＢＩやＣＩＡが、不正におとり捜査などをして、トランプ陣営とロシアとの繋がりを調べるために、トランプの組織の中にスパイを送り込んでいたのです。そのことが、後に明らかになりました。当選後も、その動きが続き、いつの間にか、その疑惑を捜査するための特別捜査官が任命されていました。つまり、トランプ陣営がロシアと結託して、ヒラリー・クリントンの大敗を仕掛けたという疑惑です。マスコミも喜んで民主党と一緒になって、いわゆる「ロシア疑惑」を追及しました。

　ムラー特別捜査官は、割合早い内に疑惑がでっち上げだとわかったのですが、そのスタッフがほぼ全員民主党支持者だったので、結果が中間選挙のあとで発表されるようにしたのです。

　民主党は、待望のムラー・リポートがトランプの不正を立証するものだと信じて疑いませんでした。そのリポートで明らかになった不正を根拠にして、弾劾裁判を行うことを心待ちにしていました。マスコミも加担して、いつまでもトランプがあやしいという印象操作を長引かせて、選挙が終わるまで、引っぱったんです。すごいインチキなんですよ。

加瀬　日本の野党も、もっぱら印象操作ですよね。いや、江戸時代の御政道を批判した落首(らくしゅ)のようなものです。庶民はいまの日本の野党のように政治に対して無責任だったから、政道を諷刺(ふうし)する戯歌(ざれうた)をつくって、落書きしてはもっぱら鬱憤をはらしていた。もっとも、いまの野党議員にそんな才覚がないでしょうがね。

ギルバート　野党だけではなく、マスコミもです。

そして、ようやく「ムラー・リポート」が「無罪」と発表したときに、マスコミも民主党も、あれだけ待望していたはずのリポートを信じられなかったし、受け入れようともしませんでした。

その結果、とうとう共和党がトランプ大統領支持で一致団結できました。

だからその後の上院で開かれた弾劾裁判では、共和党からは議員が一人だけ、弾劾賛成に票を入れたんですね。案の定、ロムニー上院議員でした。共和党がこんなに一致したのを、かつて見たことがありません。破壊的なやり方をするトランプが、見事に共和党を取りまとめて、一致団結させることができたんです。

そして、先ほども触れましたが、党派を超えてあれだけ中国寄りだったアメリカの官僚から、財界、教育界、民主党、それから左翼思想の人々などの世論を、中国の脅威を認める世論に集約してゆくことができました。もっとも、一部の左派大手マスコミは、まだ納得していません。彼らは中国が好きだというよりも、トランプをヘイトしています。いまだに米軍がウイルスを中国に持ちこんだかもしれないという報道をしているんです。

労働関係者も、農業関係者も、中国に対して厳しい姿勢をとらなければならないということで、みんな一致しています。中国からの輸入品に二五%もの関税をかけると、米国の消費者が損すると言われていましたが、中国が通貨を操作したため、あまり損していません。その損は中国がほとんど飲み込んだカタチです。

農業関係者はトランプが取った措置によって、中国が農産物を買わなくなるかもしれないと言っているのです。どうせそんなに買っていないんです。買ったり、買わなかったりして、信用できない相手でした。しかし、ここに来て、中国を正して、ルールを守ってもらうようになれば、多少の短期的な損益も我慢できる、と言っているわけです。アメリカの産業界も商工会議所も同じようにみています。

日本は違うんですね。中国に対して強い態度を取るのに反対しているのは、経団連とマスコミです。マスコミは、自分たちの記者証が取り消されることばかり気にして、真実を報道しない。

加瀬　日本は世界に珍しい和の文化であって、人の性善説をとってきた珍しい国柄であるために、よっぽどのことがないかぎり、外国を脅威としてみることができません。法外な憲法をいまだに改めていないのも、このためですね。しかし、中国が性悪な国だということに、ようやく目覚めつつあります。

ギルバート　中国に投資している大企業は、中国の気嫌を損ねることに、怯えているようです。例えば東京都が尖閣諸島を買ったとき、中国全土で官製の大きな暴動があったじゃないですか。同じことを怖がっているようですが、良識ある経営者は、米中貿易戦争が必要であることが分かっています。

日本は事なかれ主義の人が多いので、長期的な展望で戦略的に物事を考えることが苦手です。トランプの頭の中には事なかれ主義なんて存在しません。「ことあれ主義」でしょうか。そんな日本語はないけれど（笑）。

世界で大変革が起こっても、「事なかれ主義」の日本

加瀬　世界が刻々と変わってきているときに、日本は事なかれ主義で、長期的展望に立って対応しようとする発想がない。リスクを嫌うんですよね。日本は〝第二の敗戦〟といわれていますが、デフレから脱却できないでいる。大企業が巨額の内部留保金を抱えているのに、事なかれ主義から新規の事業に投資しようとしない。自分の手で、閉塞感をつくりだしています。

ギルバート　変化に抵抗しますね。テレビで見ていると、コロナウイルス対策のおかげで、

マンハッタンの街をだれも歩いてないです。バーも、レストランも、劇場も、教会も閉っています。

それで目黒駅まで行って電車に乗っても、以前ほどではないけれども、結構、混んでいました。印象的だったのは、マスクをしている人が半分くらいしかいない。いつのまに、マスクをしなくなったんですか。手に入らないんでしょうかね。

映画館は流石に営業していません。われわれの講演会なんか数カ月先まで、中止になったし、スポーツも大きなイベントも自粛しているんですね。

学校は閉鎖したけれど、市民生活は、結構、そのままやっていますね。日本はアメリカよりも冷静だということは、言えるかもしれないけれど、「変わる」ことに対する抵抗感が強いのでしょう。あるいは、危機に対する意識が弱いのでしょうか。

加瀬　冷静と言うのか、鈍感なんですかね。危機は国家が直面するもので、そう認めてしまうと、国民主権が蝕まれると信じているのでしょう。でも国民主権は国家が主権国家であって、はじめて成り立つものです。だから国家のほうが上にあります。途方もない欠陥がある日本国憲法を載いて、のほほんとしているのと、同じことなのでしょうか。

ギルバート　冷静なのか、のんきなのか、人任せなのか、問題に対する当事者意識がないのか。

アメリカ時間で三月一七日は、セントパトリックス・デーの祝日でした。現在、アイルランド系のアメリカ人が三千三百万人いると言われます。一八二〇年から一九世紀を通して、大量に移民しましたが、ニューヨークに集中しています。四六一年に亡くなったアイルランドの使徒と守護聖人である聖パトリックの聖遺物は、マンハッタン島にある聖パトリックカテドラルに安置されています。そこで、いつもなら、その日にバーに行って、めろめろに酔っぱらう日です。だけどこの日からバーがみんな閉鎖されてしまったんです。最悪のセントパトリックス・デーだったそうです。

大勢の人が前の夜、飲みに行っていたんです。それを見た市長が怒って、「あんたたち、駄目だ」と言って、「きょうからバーは閉鎖です」と、もう、そうでもしなければならないと判断したのです。それで全面閉鎖になり、強制力がある宣言なので、市民が従いました。

妻が言うには、緊急事態宣言が発表された日には、アメリカの地元のスーパーは、品物が何もなくなったんです。

ところが、日本のスーパーでは、トイレットペーパーのコーナーは何もないけど、ほかは、時間帯によるけれども、何でもありますね。

ちなみに、我が家はトイレットペーパーが少なくなって、友人に相談したら、「いや、さっき、ドンキホーテに行ったら、山積みになっていましたよ」と教えてもらって、買ってきました。山積みでも一人一個に制限されていました。

「日米安保」も「日本国憲法」も、永遠のものではない！

加瀬　日本では、いったん形ができると、それをなかなか変えることができないんですね。その最たるものが、日本国憲法ですよ。とにかく日本が独立を回復してから、今年で六八年目になるんです。

日本国憲法についていては、いろいろ言われていますけれども、日本に軍隊を保有することを禁じている第九条は、自然法に反していても、法律的におかしいとはいいません。しかし、中学生が読んでも、あきらかに、誤っている条文があります。

憲法第七条「天皇の国事行為」という見出しで、そのなかに「国会を解散すること」って書いてあります。だけど、衆議院は解散できるけれども、参議院は解散できないんですね。これは、明らかな間違いなんです。

ギルバート　間違いが多いですね。
加瀬　間違いだらけですけれど、第七条のような明らかな間違いだって、直さないんですよ。
　もし、日本人の手によって憲法を制定していたとしたら、独立を回復してから、すぐに正していたでしょうね。これ一つとっても、日本人が自主的につくったものでないことが、分かります。
　第一、日本は占領下で独立を奪われて、国ではなかったんです。外交権も否定されていたから、海外に一つも大使館がなかった。それなのに、「日本国憲法」と呼ばれているのは、矛盾していますよ。
　何か、宇宙船かＵＦＯみたいなのがやってきて授けたから、シナイ山頂で、モーゼが契約の箱をいただいたようなことになっているんですね。
　この一月に現行の日米安保条約が、六〇周年を迎えました。安倍さんのおじいさんの岸信介首相の下で、講和条約と同時に結んだ安保条約を、改定してから六〇年になりました。
ギルバート　何月ですか？
加瀬　一月でした。日米安保六〇周年の記念式典を、政府が主催して行って、アイゼンハワー大統領の孫娘が出席して、岸首相の孫にあたる安倍首相と、アイゼンハワー大統領の孫が顔を揃えしたのでした。

その時に安倍さんが何を言うかと思ったら、「日米同盟は不滅です」って言った。しかし、日米安保条約は、不滅なんでしょうかね？　どのような条約も、不滅ではない。どの国際条約も、その時々の国の都合によって結ぶものですから、不滅じゃありません。

他方、護憲派は「日本国憲法は不滅です」と、言っているんですね。同じメンタリティですね。長嶋名誉監督の巨人軍は不滅でしょうが、どんな憲法も、条約も不滅じゃありませんよ。

ギルバート　条約は不滅ではないですね。トランプ政権になるまでは、そう言えたかもしれないけれど、それまでの大統領は、例えばオバマ大統領だったときに、尖閣で何かがあったとしましょう。オバマ大統領は尖閣を日本の領土として、守ってくれたでしょうか？

加瀬　守らない。

ギルバート　守らないと思う。絶対守らなかったと思う。トランプ大統領も、やらないと思う。

加瀬　ぼくも、そう思います。
ギルバート　トランプ大統領はああ見えても、軍事衝突については、慎重です。
加瀬　日本は中国を除けば、アメリカにつぐ経済大国です。尖閣諸島の唯一つの大きな島である魚釣島の面積は、伊豆諸島のちっぽけな島である青ヶ島の半分しかありません。その日本の小さな小さな島は、日本が守るべきで、なぜアメリカの青年たちが血を流さねばならないいんですか。アメリカ国民が納得しないでしょう。
ギルバート　条約があっても、アメリカの国益だと判断しない限り、アメリカの軍人の血を流す大義がありません。しかし、トランプ大統領が軍事的に尖閣を守らないとしても、中国に対して制裁措置を加えるでしょう。そして、本当にアメリカの重要な国益に沿っていると判断すれば、軍事的に対応する可能性がないとは言えません。
　選挙公約でもあったので、トランプ大統領は、戦争したくないんですよ。みんな、アメリカは戦争が好きだと言うけれども、アメリカ人は戦争が大嫌いです。だって、自分の家族や親戚、友人が死ぬんだから。
　ここで、一つ大事なことを紹介しましょう。トランプがガンを直す薬を開発できたとしましょう。それでも、アメリカの左派メディアと民主党は彼を批判します。

数か月前に、アメリカ軍をシリアから引き上げました。元々シリアに米軍を派遣した大義は、ＩＳＩＳ（イスラム国＝アイシス）を破壊することでした。そして、その目的を果たしました。その後残っていた米軍は、結局シリアとトルコの国境で、紛争が起きないための、「警察」以外の何ものでもなくなっていたのです。トランプは、「数千年前に遡る紛争なので、当事者同士が喧嘩して解決すればいいのであって、もはやアメリカの出番はない」と説明しました。

そのとき反対する勢力がありました。左派マスコミとトランプを貶めるために生きている民主党員でした。ちなみに、マスコミは戦争が好きです。発行部数と視聴率が増えるからです。また、アメリカと協力してきたクルド族の部族を裏切る行為であって、アメリカの無責任な撤退によって彼らが危険に陥ると主張する専門家もいましたが、国民からの反対はほぼ出ませんでした。

トランプは、アメリカの脅威は、中東でなく中国と認識させた

加瀬　アメリカ軍が撤収し始めたら、トルコ軍がすぐにシリアに侵入して、アメリカが支援してきたクルド人の部隊と戦闘を始めたのですね。

ギルバート　はい。予めそうしないようにと、トランプはトルコの大統領に約束させて、そしてその約束を守らなければ、トルコを「潰す」と警告しました。でも、トルコはドンパチを始めました。

しかし、よく考えたら、一つの問題が残っていました。イスラム国アイシスを潰してしまったのでシリアの領土は全て回復したんですが、イスラム国の残党がまだ潜伏しているんです。そこにある油田を支配してしまったら、その資金でアイシスがまた台頭する。だから、アメリカ軍が数百人、油田の警備隊として残っています。

トランプ大統領が言うように、国境の紛争は、他国の警察の仕事じゃないですよ。左派はトランプ大統領が「喧嘩し合って、勝てば、もううちは関係ないよ」と言ったのは無責任だと言うんです。それに対してトランプは、「終わりがない戦争」を終わらせると公約して当選した。だから私がアメリカ軍を引き揚げるのは、民意だと反論しました。

加瀬「終わりがない戦争」というのは、ブッシュ（父）大統領が、クウェートをイラクから救うために、アメリカ軍を派遣してから今日まで、アメリカ軍がイラク、シリア、アフガニスタンなどで戦っているのを、そう呼んでいますね。アメリカ国民もいい加減、くたびれちゃいますね。

ギルバート　中東の一連の戦争で、アメリカは八〇〇兆円以上の国費を費やしてきました。また、お金で価値を計算できない数多くの尊い人命が犠牲になりました。これ以上、中近東でお金と命を失いたくないです。そのため、現在アフガニスタンからも米兵が段階的に撤退を続けています。

アメリカにとって本当の脅威が中東ではなく、中国だと広く認識されてきたのも、トランプの功績だと思います。

こちらのほうがよほど重大事なのです。中近東で「終わらない戦争」に力を注いでいた間に、中国が暴走し、台頭しました。基本的に、中東ばかりに関心を奪われていたから、中国を野放しにしていたじゃないですか。

アメリカのGDPに占めている割合を見れば、中東が三%ぐらいです。中国は一五%くらいでしょう。よっぽど中国のほうが大きな問題です。だから、トランプが中東から足を洗いたいと言っているわけですし、現にアフガンから引き揚げが始まっています。

加瀬　うまくいくか、どうかですね。

ギルバート　うまくいくか、どうかわかりませんが、うまくいかなくても引き揚げてほしい。アフガニスタンを征服した人が、歴史のなかで二人しかいませんでした。誰か知っていますか？　成吉思汗（ジンギスカン）と、アレキサンダー大王ですよ。
加瀬　イギリスも、ソ連も、アメリカも駄目だった。
ギルバート　だれもできなかったことを、いまさらアメリカがなんでしなきゃいけないの？　もういいよ、と僕は感じます。
ＩＳＩＳ（イスラム国）というのは嫌ですけど、今、タリバンはアフガンの一五％くらいを支配していますね。アメリカがアフガニスタンで何をやっているかと言うと、やっぱり警察行動ですよ。だから、もういいです。タリバンがイスラム国を支持しないと約束するなら、もう出て行ってもいいです。ＩＳＩＳが動き出したら、爆撃してしまえばいい。
加瀬　アメリカは中東で、国力を消耗してきましたね。もう嫌気がさすようになったのは、よく分かります。
毛沢東政権のもとで、アメリカは朝鮮戦争を戦ったんですね。毛沢東はその間に、チベットと、東トルキスタン（今の新彊ウイグル自治区）を侵略して、占領した。
ギルバート　そうでしたね。
加瀬　また、中印戦争がそうでした。狡猾なことで知られる周恩来が「平和五原則」を提唱したことによって油断したネール首相を騙して、人民解放軍がインドとの国境地帯を急襲して、四国の二倍くらいの土地を奪ってるんですよね。中国は今でもそこに居座っている。

ギルバート　火事場泥棒と同じで、そういう混乱のときにやるわけですよ。

アメリカが、どうして中東に国力を集中していたかというと、石油が必要だったからです。今は、必要がないですよね。ところが、民主党のツリーハッガー（木を抱きしめるほど熱心な環境派の人々）たちが、化石燃料をやめると言っているのは、どういうことですか。

「平和憲法」があれば、中国も北朝鮮も日本を攻撃しない、という盲信

加瀬　ただ、そうなるとね、日本は大変ですね。アラビア半島が混乱した場合には日本もお手上げになりますね。日本はアラビア半島の安定についても、アメリカに〝安保のタダ乗り〟をしています。

ギルバート　そうですね。アメリカ軍が中東からいなくなっても、アメリカはそれで困らないけれども、アメリカの同盟国が困る。アメリカの貿易相手が困ると、アメリカも困る。だから、中東に間接的に利権がありますね。従って、戦争はしないけれども、軍事力は置

きます。

加瀬　では、安倍首相が「日米同盟は不滅だ」と言っているので、現行の日米安保条約の五条を、読んでみます。

「各締約国は、日本国の施政の下にある領域における、いずれか一方に対する武力攻撃が、自国の平和及び安全を危うくするものであることを認め、自国の憲法上の規定及び手続に従って共通の危険に対処する」

英語では「Each Party recognizes that an armed attack against either Party in the territories under the administration of Japan would be dangerous to its own peace and safety and declares that it would act to meet the common danger in accordance with its constitutional provisions and processes.」と述べていますが、アメリカが日本を軍事力を用いて、かならず守るとは、書いてないですね。

ギルバート　書いていません。アメリカの憲法で許される範囲のことが、できると書いてあるだけです。

加瀬　ですから、日本が万一、外国の攻撃を蒙った場合に、アメリカがニューヨークのマジソンスクウェアガーデンに大勢のチアガールズを集めて、「日本、頑張れ！」というイベントを催すだけでも、条約の義務を果せるんですね。

ギルバート　そう言えば、それで十分ですね。自国の憲法が認める範囲内ということですから、日本を守らなくてもいいです。

加瀬　NATOは、アメリカ、カナダと、ヨーロッパ諸国が結んでいる、攻守同盟条約ですからね。アメリカが第三国から攻撃を受けて、人口四〇万人のルクセンブルクがまだ戦争の局外に立っていても、NATOの加盟国ですから、自動的にアメリカ側に立って参戦するんですよね。だからヨーロッパ諸国が攻撃を受けた場合には、アメリカは自動的にNATOヨーロッパ諸国を守るために戦います。日米同盟とは全く違うものです。

ギルバート　改めて考えると、まったく違いますね。

加瀬　これで日米同盟がほんとうの本当の同盟関係だと、言えますか。ところが日本国民は日米安保条約によって、日本が攻撃を受けた場合には、アメリカがかならず守ってくれると信じているんですね。「平和憲法」と呼ばれる日本国憲法があるから、中国も、北朝鮮も世界に類例のない、崇高な日本憲法に敬意を払って、日本を攻撃することがないと、盲信しているのに、よく似ていますね。

先にギルバート先生が、尖閣諸島を中国が攻撃した場合に、アメリカが動かないだろうといわれましたが、日米安保条約にそのような規定はないんですよね。

日本が独立を回復してから、韓国が竹島を奪い、やはり日本が独立を回復した後に、北方四島の中の歯舞島にまだソ連軍がいなかったんですが、ここにソ連軍が入った時にも、アメリカは動かなかった。

ギルバート　北方領土に関して、終戦の前にルーズベルトとスターリンの合意ができていたという経緯があったんですが、竹島は違います。韓国の火事場泥棒と寸分違わぬ不正でした。どっちにしろ、竹島も、歯舞群島も日本の施政下というと、実効支配下になかったんです。

私は平和憲法という神話は、竹島で完全に崩壊してしまったと思いますね。

でもアメリカが尖閣を守らないけれど、竹島と同じように無視はしないと思います。無視しないけど、守りもしない。

加瀬　守らないけど、無視しないというのは、中国に経済制裁を加えるとか、するんでしょうか。日本が独立を奪われたら、中国の圧制下にあるチベット人や、ウイグル人の仲間入りをすることになりますね。

ギルバート　経済制裁もあるでしょう。アメリカの国際的な軍事戦略として、沖縄は絶対必要不可欠なんですね。そこに近いですから、血を流さなくても、ドローンでも使って、攻撃すると思います。

じゃ、なんでそうするかと言うと、安保条約があるからじゃないんです。アメリカの国益だからです。安保条約とはそれほど関係ないでしょう。

特にトランプ・ドクトリンというのは、条約やグローバリズムと関係なしに、アメリカの国益に沿って行動する。アメリカを最優先とするのが、アメリカの国益です。だからＮＡＦＴＡは、総合的に計算すると、アメリカの国益が、メキシコのために犠牲になっていたから、破棄しました。

イランの核合意も同様です。あの合意では、イランが一〇年も待てば、核兵器を作ってもいいという解釈もできるものになっていたから、アメリカの国益にならない。それで、破棄しました。

パリ協定も、中国を野放しにして、アメリカだけCO_2を抑制しなければならないのは、アメリカに対してフェアではないから、脱退した。国益か、またフェアか、この二つが大原則です。

今までの政権では、そうではなかったのです。ヒラリー・クリントンに代表される戦後のグローバリズムの信者たちは、自国にとってフェアではなくても、グローバリズムという理想的なイデオロギーによって操られて、自国にフェアかどうか、殆ど考えていなかったと思います。言い換えれば、自国の利益と引き換えに、グローバリズムを追及してきました。

トランプは、異なった国益を持つ複数の国々で構成されている国際機関では、アメリカが不利になっていると指摘しています。彼のスタイルとして、直接、単独で、あるいは国益や価値観が合っている少数の相手国と交渉するほうが有利になると確信しているのです。戦後いつの間にか主流になってきたように思われていたリベラル思想の考え方をトランプは否定したのです。慈愛にかけていると言われても仕方がない。なにしろ、大統領はアメリカの国益を護るために選ばれたのであって、一部の左翼思想家の幻想や妄想を追い求めるために選ばれたのではありません。そういう意味では、極めて現実的だと思います。

国益を優先しない「グローバリズム」に酔ったツケ

加瀬　「アメリカ・ファースト」が、正しいんですね。アメリカに永遠におんぶしてもらいたいというのでは、ほんとうの「自主」じゃないですよ。

ギルバート　私も、トランプさんの考え方が正しいと思います。対立する利益、思想をぶつけ合って議論して、みんなが納得できる結論を見出すプロセスこそ、民主主義なんです。

加瀬　今回はコロナウイルスのために、ビジネスが国境を越えていたのが、ヨーロッパをとっても、EU（ヨーロッパ連合）の「ヨーロッパは一つ」という建て前をあっさりと捨てて、二五ヶ国のEU加盟国がそろって国境を封鎖しているじゃないですか。

ギルバート　今、アメリカの民主党は選挙の謳い文句として、国境を開放したいと主張しています。しかも、不法滞在している移民たちに無料で医療を提供すると言っています。極左のサンダースだけではなく、バイデンまでがそう言っています。

加瀬　でも、武漢（ウーハン）ウイルスがパンデミック――世界的な大流行になったのは、中国が原因だけれども、グローバリズムのせいですよ。

ギルバート　グローバリズムに酔って、国益を優先しなければならないという原則を忘れると、いずれ大変なことになります。シリア内戦の難民をほぼ無制限に受け入れたのがEU諸国の秩序を攪乱して、それが大きな理由で、英国がEUを離脱してしまいました。

　それよりも深刻なのは、今回のコロナウイルスです。ウイルスが中国から世界に広がり始めた時に、トランプがいち早く、中国からの入国を止めました。しかし、ヨーロッパ諸国の対応の遅れが大惨事をもたらしました。イタリアでは、一時医療が大崩壊しました。スペイン、フランス、イギリスも、ウイルスの勢いを止めるのに苦戦しました。

加瀬　この間、イタリアの外交官からきいた話ですが、イタリアには五〇〇万人も、中国人がいるそうですね。

ギルバート　正式には三二〇万人ですが、帰化した人とその子孫はその統計に含まれていません。私がイタリアに行ったときにそんなに目立ちませんでしたが。

加瀬　というのは、フェラガモだとか、イタリアの高級ブランドバッグとか、アパレルの工場の単純労働のために、中国人労働者を数十万人も入れました。すると、その家族を呼んだ。

もとはイタリア語で考えるんでしょうね。「中国人は、まるで機関銃のように子どもを産む。それで、増えた」って、言うんですよ。五〇〇万人のうちの一〇%か、二〇%が、一族に会いに中国と往復をする。それでコロナウイルスが急速に広がったと。

とにかく、中国人は不潔ですからね。ぼくは一九七〇年代から八〇年代にわたって、中国政府の招待で、中国に通いましたが、衛生観念がないのに、閉口しました。芥川龍之介が中国を訪れて、中華料理店で「給仕に便所は何処だ」と訊いたら「料理場の流しにしろと云ふ」（『上海游記』）と書いています。

先のイタリアの外交官によると、それでフィレンツェの隣にプラトという都市がありま
す。

ギルバート　プラトは、ミラノに次いで二番目に中国人が多い町で、不法滞在者も入れて
約四五、〇〇〇人いるそうですね。

加瀬　昨年、市役所で働いている若い男性の職員が住民台帳を見ていたら、多くの中国人
が一一五歳とか一二〇歳で、長寿なんです。驚いて調べたら、中国人のおじいちゃんや、
おばあちゃんが死んでも届けないで、その戸籍を中国人の密入国者に売っていたんですっ
て。いったい死体をどうしたのか、今、イタリア中の話題になっているっていっていました。

それからフランスの人口の一〇人に一人がイスラム教徒ですね。ドイツは一〇人に一人、
トルコ、中東、アフリカの移民がいますが、トルコ人がもっとも多いんです。

ギルバート　別の本を書いたときに調べました。実はドイツの国勢調査では、民族に関す
る情報を集めません。しかし、トルコ自体を民族起源とする人口は、全人口の約五パーセ
ントのようです。戦後の経済復興を支えるために労働者として一年交代で入れたはずでし
たが、一年交替だと、いつまでも訓練し直しているだけなので効率が悪い。それで長期滞

在を認めたんです。すると、住み着いて、家族も連れてきて、他民族と結婚したりしました。

アメリカは、移民国家です。現在、外国生まれの人は約四四七〇万人います。全人口の約一三・七％を占めています。そのうちの二七％が不法滞在と推定されています。

二〇一九年八月に、トランプ政権は、ミーンズテスト（資力調査）を新しい条件として導入しました。今までアメリカになかったけれど、日本や、他の多くの先進国はやっています。ミーンズテストとは、入国したら、生活保護を受けなければならないようにはならない証拠を提供する条件です。

日本の場合は、保証人をつけさせるでしょう。また、雇用契約がないと、就労ビザを受けられないですよね。

アメリカの場合は、例えば、かつて一定期間に生活保護を受給したことがある人は入れません。新しい条件を導入したら、すぐに反対勢力が訴訟を起こしました。、オバマ大統領が任命した裁判官は差し止め請求を認めてこの決定を無効にしました。しかし、最終的に最高裁まで進んで、最高裁判決がこの政策が妥当だと確認しました。だから、今ではミーンズテストを実施しています。

加瀬　日本では少子化による人手不足を補うために、外国人労働者を迎え入れることにしていますが、それよりも国が出産、子育てを支援するために、大胆な投資を行うべきです。赤子は未来の納税者なのです。ロボットによって労働力を補おうといいますが、ロボットは納税者になりません。「少子化対策」といわずに、「人口政策」というべきです。

二〇一九年のデータによると、韓国は出生率が一・〇五%で、日本の一・四三%よりも低い。中国は日本よりちょっとだけ高いけれど、似たようなものです。今後、日本が中国化、韓国化してはなりません。イスラエルは若い夫婦に手厚い援助を行っているので、三・一一%です。イスラエルを手本にして学ぶべきです。

第五章　国家に権力を与えない日本国憲法

米国も日本も、野党は代案なしに批判ばかり

ギルバート　トランプは何をやっているのかわからない。日によってトランプが言っていることが、コロコロ変わるからといって、非難されています。

加瀬　でも、何をやっているか、わからないというのは、一つの力ですよね。

ギルバート　正しく言えば、わかりたくないんです。トランプという人物がやっていることを支持したくないから、何をやっているかわからないと言っているだけですよ。生理的にトランプが嫌いだから、思考回路が正常に働かないで、反射的に反対するだけです。先入観や偏見を横に置いて論理的な評価ができなくなっています。

その点では、日本とアメリカがよく似ています。日本の無責任野党、左派コメンテーター、大マスコミは、安倍首相がどのような政策を進めても、同じようにほぼ自動的に反対を表明して、協力を否定します。

毎週木曜日に、私の連載コラムが『夕刊フジ』に掲載されます。四月一七日のコラムを抜粋して紹介しましょう。

「安倍晋三首相は一二日、シンガー・ソングライターの星野源さん（三九）の楽曲『う

ちで踊ろう』に合わせて、新型コロナウイルスの感染拡大を防ぐため、外出自粛を訴える動画をツイッターで投稿した。」これについて、「立憲民主党の蓮舫副代表はツイッターで《ご本人のお考えだとすれば、なぜ誰も止めなかったのか》と批判し、共産党の志位和夫委員長は《理解に苦しみます》と発信した。同党の小池晃書記局長に至っては《裸の王様、ですね》と小バカにする始末だ。」と書きました。そして、最後に、次のように書きました。

「野党議員に問いかけたい。『では、あなた方は一体、国民に何をしてくれたのか』と。新型コロナをめぐり、野党から聞こえてくるのは、批判と文句ばかりだ。

前出の蓮舫氏は二月二八日のツイッターでも、安倍首相の小中高校の一斉休校要請について、『場当たり的』と批判した。立憲民主党の枝野幸男代表は三月五日、緊急事態宣言の必要がないという内容をツイッターで投稿している。野党は『布マスク二枚の配布』にもかみついているが、政府案を超える代案を出したという話は聞かない。（省略）

日本の野党はまともな対案も出さず、批判ばかり繰り返している。国民の生命や安全より、『安倍首相を引きずり降ろす』ことの方が優先順位が高いのだろう。

国民が一致団結して『国難』に立ち向かわなければならない今、それを妨害するのは卑劣以外の何ものでもない。批判ばかりの野党議員らは即刻辞任してもらいたい。」

この内容をツイッターとフェイブックでも紹介したら、大勢の方々が共感しました。

加瀬　日本は、占領でアメリカから頂いた日本国憲法を、独立を回復してから、六八年もひと言も変えずに守ってきました。変化を嫌って、硬直にしているんですね。日本は〝和の文化〟なので、コンセンサスに従おうとする強い圧力が働くために、みんなでコンセンサスがどこにあるのか手探りするうちに、奇怪な化け物のようなコンセンサスが生まれて、誰も抗えなくなる。和は日本の大きな力であるとともに、大きな弱点ともなっています。

江戸時代の二六〇年、ほとんど体制が変わらなかったんですよ。日本の国民性は江戸時代につくられましたが、江戸時代に鋳型がつくられて、今日に至っているんです。

ギルバート　変わらなかったですね。

しかし、世界各国が全力を投球してコロナウイルス対策を実施している間に、日本の対策が遅れていると感じます。四月三日の夕刊フジに、「日本は現在、新型コロナウイルスの爆発的患者急増（オーバーシュート）を食い止める正念場といえる。」と書いて、実態を確認するために積極的に検査の数を大幅に増やして、「不安を感じている国民に対し、もっと政府はファクト（事実）を分かりやすく発信すべきだ。科学的根拠に基づき、どのような行動を取るべきかを提示してほしい。」と書きました。そして、『『未知のウイルス』が蔓延（まんえん）しつつある現状で、政府は大きな決断をする時期がとっくに過ぎている。『ウイルスをどう終息させるか』『ウイルス制圧のために経済活動をどの程度まで停止させるか』を決めかねているようだ。これらを絶妙なバランスで事態収束に導くのは、政治家にしかできない仕事である。」と訴えました。

日本を弱体化するための「占領憲法」には、緊急事態条項がない！

ギルバート　必ずしも理想的な対応をしたわけではないかもしれませんが、参考のためにアメリカの例を見ましょう。

トランプ大統領は三月一三日に、緊急事態宣言をしました。その時点では、全米で、感染者一七〇一人、死亡者四〇人が確認されていました。

緊急事態宣言によって、大統領は強制力を伴う強い権力を持つようになります。

歴史的に見れば、南北戦争の最中一八六三年一月一日に、リンカーン大統領は、北部に逆らって合衆国から離脱しようとしている南部の州の奴隷を解放しました。解放された奴隷が北部の軍隊に入ったことによって、北部軍が有利なって、一八六五年に戦勝しました。

ちなみに、奴隷制度が完全に廃止されたのは、憲法修正第一三条が施行された一八六五年一二月一八日でした。

今回は緊急事態宣言を行ったことによって、五五〇〇億円の資金援助の支給が可能になりました。もっと大事なのは、医療の提供に関する様々な規制が一気に緩和されたことです。今回のコロナウイルスの治療のために認可されていない薬は、医者の判断で使用可能になったのです。民間企業も協力して、複数の検査方法が早々と開発されて、病院に行かずにドライブスルーで検査を受けたり、自分で検査を行ったりできるようになりました。人工呼吸器や防護服など、医療に必要な物資が足りなかったので、その製造を強制に民間企業に行わせました。

医療崩壊を防ぐために、簡易病院を設置したり、医師や看護師の資格を間もなく取る予定だった人に医療行為への参加を許可したり、退職した医師や看護師を呼び戻したり、オンラインの診察を勧めたりしました。衛生要員が足りないところには、米軍の医療専門家を派遣しました。

折角絶好調だったアメリカの経済を、感染者の増加を終息させるために、シャットダウンしました。こうしたことができたのは、緊急事態宣言を発令したからです。

最初の四週間で三〇〇〇万人以上の失業者が出たし、多くの中小企業が廃業に追い込まれそうになりました。しかし、救済策として、前述の経済援助政策をすぐに実施しました。

そのさなか、三月二三日にトランプ大統領は、「救済策が問題自体よりも悪いということはあってはならない。(ロックダウンの)一五日間の終わりに、どの方向に進むかを決定する。」とツイートし、経済をいち早く再開しなければならないと宣言しました。流石に一五日間では間に合わなかったけれど、ようやく新規患者、入院患者、死亡者の増加が峠を越す見込みができた四月一四日に、五月一日から、各州知事の判断によって、経済を再開ができるようにするためのガイドラインを発表しました。そして四月二〇日までに二〇もの州は、ガイドラインに沿って、すぐに経済活動の再開を始めると発表しました。


安倍晋三首相は、四月七日に緊急事態宣言を行いました。その前日までに、感染者四五〇〇人と一〇七人の死亡者が確認されていました。さらに四月一六日、改正新型インフルエンザ対策特別措置法に基づく宣言対象地域を、東京や大阪などの七都府県から全都道府県に拡大しました。うち一三都道府県を特に重点的な対策を進める特定警戒都道府県と位置付けています。

アメリカの例と大きく異なっているのは、あまり強制力を伴わないということです。

それではたして取るべき措置が取れるのか、不安です。

加瀬　日本国憲法には、他の国々にある政府が非常事態に当たって民間の私権を制限して行動できる緊急事態条項がないんです。占領下でつくった憲法ですから、アメリカが日本をできるだけひ弱な国家にしようとしたからです。

安倍首相はまだ、この法律を発動するまで状況が緊迫していないと述べていましたが、やり過ぎてはならないという世論が強いからです。ぼくはやりすぎてよいと、思うけれどね。

ギルバート　私は、アメリカがやり過ぎたかどうか、まだ判断できません。

加瀬　日本の場合は、また占領下に話しは戻るけど、アメリカが日本に腰抜けの政府をつくろうとしていたから、政府に強制する権限がないんです。

アメリカでも、イギリス、フランス、ドイツ、イタリアでも、外出禁止令が強制されたところに、軍隊が出ているでしょう。日本では政府が、国民に要請することしかできません。欠陥憲法のおかげですよ。日本国憲法の前文を読むと、日本が主権国家であってはならない、というと国家じゃないと述べています。

ギルバート　そこで、私は四月一〇日の夕刊フジの連載で、このように書きました。

「これまでは、たまたまオーバーシュート（爆発的患者急増）につながらず、運が良かった。もし、仮に早い段階で爆発的増加が発生していたなら、憲法第二五条にある『健康で文化的な最低限度の生活』さえ脅かされることになるのだ。

緊急事態宣言は法律上、諮問委員会が、（一）国民の生命や健康に著しく重大な被害を与えるおそれがある（二）全国的かつ急速な蔓延（まんえん）により国民生活と経済に甚大な影響を及ぼす恐れがある、と評価しないと発令されない。

国民の多くが今回、緊急事態宣言がスピード感に欠けるうえ、発令されても強制力がほぼないことを理解した。これを安倍政権の責任とする声もあるようだが、民主党政権時代にできた新型インフルエンザ等対策特別措置法の制度上の問題であり、批判はお門違いだ。

『未知のウイルス』だけでなく、災害やテロにも備えるため、憲法に『緊急事態条項』を盛り込む議論を早急に進めるべきだ。」

私は、今回改めて憲法改正の必要性を思い知らされました。

アメリカは、州が権限を持っている「合州国」だ

加瀬　このように世界が激変しているときに、日本は現行憲法を、まるで江戸時代の歴代の将軍が、徳川家康公の「祖法」を一語一句守ったように、守ってですね、この、激動している世界に対応しようとしていないんですね。ですからその意味では、日本はどの国にもある国家体制を欠いているから、非常に脆い国ですね。

ギルバート　米国では、左派メディアと民主党が、トランプ政権の対応策を激しく批判しています。しかし、時系列を確認すると、民主党がいかに無責任で偽善的だと確認できます。一月後半に国際社会がコロナウイルスの恐怖に対応するために中国からの旅行を禁止し始め、トランプ大統領も一月三一日に中国からの渡航を全面的に規制する政策を発表し、実施しました。その間、民主党は何をしていたかというと、大統領弾劾裁判に集中していて、その裁判は二月五日に無罪評決で終了しました。

ペロシ下員議長（民主党）はしきりにトランプを、「weak leader（無力で弱い指導者）」とあざけて、フォックスニュースの番組で、「彼は常に責任を他人に転嫁する」と批判しました。しかし、コロナウイルスの感染者が増えるなか、二月二四日、ペロシ氏自身は

マスクも装着せずに、サンフランシスコのチャイナタウンの祭りに現れて、「安全だから、皆さん、是非一緒に参加して下さい」と呼びかける映像がウェブで公開されました。コロナ騒動からくる在米中国人に対する差別を解消するためだったという情けない言い訳をしています。

全責任がトランプにあると言いますが、ロックダウンの具体的な規制は各州知事が決定したし、経済再開も各州知事の権限の下で実施されます。

トランプ大統領が知事全員を激励した電話会談を、『ニューヨークタイムス』が報道するなかで、「トランプは無責任だ」と報道しているんです。

連邦政府はバックアップはするけれど、現場を知事が取り仕切る体制です。各州の状況が異なっている現実を見つめたものです。当然、地域の差が出てきますね。

そこで、緊急事態宣言を通して、民間企業及び国民の協力を得て、規制を大幅に緩和して対応する。これを、日本ができるでしょうか。

加瀬　できないですね。やはり憲法に緊急事態条項を加えなければなりませんね。われわれ保守派は口を開くと、アメリカが占領下で日本を骨抜きにしたと、アメリカのせいにしますが、もう独立を回復してから六八年になるから、アメリカが悪かったといい続けるべきじゃないですよ。

ギルバート　だから、ここで「できない」とは言わなかった。「できるか」で終わりにした。

加瀬　日本人にはアメリカという国がわかりにくいけれど、アメリカ合衆国というのは、とんでもない誤訳ですよね。「合」はいいんですが、「衆」じゃなくて、「州」にしなければいけない。ユナイテッド・ステーツでしょ。

ギルバート　「州」にしたほうが正しいですね。

加瀬　それぞれの州が法律も、税率も違う独立国のようなものですね。州兵もいるし、マフィアがトレイラーを使って税率が違うタバコ、酒の密輸を行うので、州境に臨時の税関が設けられて、一般の人々も車のトランクをあけて調べますね。成田や羽田と同じように、タバコは何本、酒は何本まで無税という規定があるんです。

アメリカは、共和党、民主党にも、党首がいないんですね。

ギルバート　はい、いないですね。

加瀬　それぞれの州に、歴史的な流れのなかで、共和党、民主党が存在していますが、政策綱領委員会の委員長が党首に近いんですかね。

ギルバート　例えば「Democratic Party Chairman」というのが州ごとにいて、国にもある。でも、いったい誰なのか、誰も知らない。事実上、党首ではなく事務総長のようなものですね。

今のアメリカの民主党の大きな問題としては、リーダーがいないことです。バイデンはボケ始めていてるし、ヒラリー・クリントンがときどき出てきて、自分が負けたのは誰々のせいだと言って、また消えるのを繰り返している。最も尊敬されているのはオバマ前大統領ですが、実務に関係ありません。

ペロシ下院議長は、政局にしか興味がなく、リーダーのつもりだろうが、弾劾の空騒ぎやコロナウイルスのお粗末な対応で、党員を統一する力が弱いことが明らかになっています。唯一党員を統一する方法があるとすれば反トランプを訴え続けることです。韓国の朴槿恵政権の反日に似ています。しかし、トランプの支持率は上がっています。

アメリカ市民は、トランプのような大統領の出現を、待望していた！

加瀬　でも、四年前の大統領選挙のときに、共和党もリーダーはいなかったんですね。

ギルバート　前述したように、大統領になりたかった面々を、トランプが全員潰したんですね。

加瀬　トランプは初めは、泡沫候補でしたね。だれもトランプが大統領候補の指名を獲得できると、思っていなかった。

ギルバート　予備選挙の活動が始まり、私はテレビで「トランプはどうせ正式の候補になりませんので、ご心配なく」と言ってしまいました。

その後、二月初めにアラスカで予備選挙があって、そこでうちの三男がトランプに投票したと聞いて、私はテレビで「トランプに投票した息子を遺言から消します」と言い放ったぐらいです。

ところが、五月の初めにアメリカに行ったら、日本で報道している状況とはまったく違うことにすぐに気付きました。長く日本にいたから、米国民の感情を自分が把握していませんでした。アメリカに戻ってみると、大勢の皆さんがトランプのような人が必要だと思っているのが理解できて、これで当選する可能性があると感じ始めました。むしろ、当選してもらったほうがいい、と思うようになりました。

彼ぐらいの迫力がないと、ヒラリーには勝てなかったでしょう。他のマルコ・ルビオ、ジェフ・ブッシュ、テッド・クルーズなど、みんな国民の幅広い支持を得る力はなく、ヒラリー・クリントンの政治マシーンには勝てないということです。

本来なら、トランプが勝てるはずもなく、勝つとだれも思わなかった。大統領の任期が終わると回想録を書くと思いますが、おそらくその中で、「自分も勝てると思わなかった」とトランプは書くと思います。しかし、民主党が選挙期間中に、トランプ陣営に対してスパイ行為をやるわ、いろいろなデマ文書を作って、マスコミに流すわ、様々な不正工作を企んだのに、最後は落選してしまいました。

加瀬　もう一つは、ヒラリーの敗因は彼女があまりにもお金漬け、金銭亡者で、うさんくさかったことがあった。もし、違う候補だったら、おそらくトランプに勝てたでしょうね。ぼくは当時「ヒラリー・クリントン候補は、金髪のカツラをかぶった桝添だ」と言った（笑）。

ギルバート　電子メールの私的サーバーに国家秘密を載せたとするスキャンダルもありました。最初は問題ないとＦＢＩが発表したんですが、選挙の二週間前になって、やっぱり問題かもしれないので、もう一度調べているんだと、改めて発表しました。その後、投票日直前までには、「やはり問題ない」とＦＢＩのさらなる発表があったけれども、もうすでに遅かったたです。名誉を回復する時間が足りずに、。彼女はそれで悪影響を受けたこともあって、落選しました。

加瀬　そこでずるい女だという、イメージになったんですね。

ギルバート　それに、終盤、有権者がヒラリー・クリントンに疲れたと思うんですよ。彼女が集会を開いてもだれも集まらないので、ビヨンセなど、大物スターを呼ぶことにしました。それである程度の人数が集まっても、音楽が終わると、ヒラリーのスピーチを聞かずに聴衆が帰ってしまいました。そういうのは最後にあって、彼女も疲れているのが目に見えました。最終的に投票日の直前に「ウィスコンシン州に行っていないから、おまえ行ったほうがいいよ」と旦那のビルに言われたら、「もう疲れている。行かなくても取れるよ」と言って、行かなかったんです。それでトランプがギリギリでウィスコンシン州で当選しました。

「ポリティカル・コレクトネス」という言葉狩りに、アメリカ市民がうんざり

加瀬　ぼくは四年前の六月に、ワシントンに行って、隣のバージニア州にバージニア大学があって、そこに半日招待されました。アメリカの独立宣言の起草者で、三代目の大統領をつとめたトーマス・ジェファーソンが作った名門大学ですね。

アメリカは鉄道が発達してないから、車で迎えに来てくれて、一時間一五分くらいかかるんですが。行き帰り、道路や、住宅の前にたっているプラカードが全部、トランプ支持なんですよ。いろいろな人と話をしていたら、トランプ支持者が多かったんですよね。

それに、アメリカで「ポリティカル・コレクトネス（ＰＣ）」と言うけれど、言葉狩りがひどかった。

そう言えば、今年に入ってから、サンフランシスコの市議会が差別用語だといって、「マンホール」という言葉を使うのを、禁じたんですよね。

ギルバート　かわりに「メインテナンスホール」と言わなければならなくなりました。

加瀬　そういったばかばかしいことが、あまりにも多いんですね。

日本でもそうです。警察庁が「婦人警察官」の「婦」の字は、女が箒を持っているのは差別になるからと言って「女性警察官」にしたんです。防衛省もそれにならって「婦人自衛官」が「女性自衛官」になった。

だけど、ぼくは子どもの頃から、母親が竹箒で家の前の路地を掃いたり、座敷を掃いていたりしているのを見て、箒が母親の心の延長だと思っていたんです。心を否定することじゃないですかね。家電製品はすべて女性が心を省く道具です（笑）。

痴呆症というと、正常に認知できない人を差別することになるといって、「認知症」と言い替えていますね。バイデンさんのアルツハイマーのことです。「症」は病気のことです。「何々症」は「何々病」の意味ですね。だが、正常だから認知できるんです。どうして認知できるのが病いなんですか。「認知障害症」だったらわかるけれど「認知症」はおかしいですよ。

ギルバート　「認知障害」でいいですよ。

加瀬　厚労省が「認知症」にしました。それだったら、「不妊症」は「妊娠症」と言ったほうがいいですね。

言葉の乱れは、精神の乱れです。多くのアメリカ国民が、言葉狩りにもううんざりしていた。トランプが演説をすると、わざと汚い言葉というか、ＰＣでは不適切とされる発言を使うんですね。ぼくはそれだけでも、すっかりトランプのファンになって、六月に東京に帰ってきてから、間違いなくトランプが当選すると断言しました。いや、トランプが勝つと信じたんです。

ギルバート　彼の言葉の使い方は、われわれにとってすっきりします。

加瀬　好き嫌いは別にして、トランプさんは本音で話すから、親しみが涌きますね。

ギルバート　どうでしょうね。トランプはバニー・サンダースを「クレイジー・バーニー」、ジョー・バイデンを「スリーピー・ジョー」と揶揄しているでしょう。〝ねぼけのジョー〟ですよ。

加瀬　バイデンさんを見ていると、なんかくたびれて、ホテルにすぐに帰って、昼寝をしたいような顔をしています。働かすのは、気の毒です。

ギルバート　活き活きしてないですね。もっと演技しないといけないです。トランプは選挙中にヒラリー・クリントンを「クルケッド・ヒラリー（インチキのヒラリー）」と呼んでいました。トランプだからできたのであって、本来なら政治家が相手の弱みをあだ名にして堂々と呼ぶのは許せないと思います。日本なら、大変なお騒ぎになるでしょうね。

日本の政治家も国民も、本音を言わなくなった

加瀬　今の日本の政治家は、みんな、お行儀がよすぎますよね。行儀がよいのならいいんですが、失言を恐れるあまり、臆病になっている。臆病者ばかりですよ。

ギルバート　そうなんです。だから、私は『夕刊フジ』に、安倍総理はトランプさんを見

習いなさいよと書きました。トランプは、いつ寝てるんでしょうかね。二四時間体制でツイッターで発信しています。どうも、本当にあまり寝ないようですね。その生活習慣を安倍総理が真似ればいいということでないです。

ここで言いたいのは、国会の中で与党がサンドバッグになっている必要はないということです。せめて、「Twitterのアカウントを作って（実際にあるけれど）、国会の討議の中ではできないとしても、終わったあとで、あるいはその最中にでも、スタッフにツイートをしてもらえばいいです。「本日の枝野は、とてもうそつきの顔（きんせんめ？）に映っていた」というのを出せばいいと思いませんか？

加瀬　ぼくは今の日本の政治家だけではなくて、国民も、本音を言わなくなっちゃったんですよね。本音を言わないから、憲法も日本が独立を回復してから六八年間、全然触ってないんですよね。

ギルバート　私が書いた『プロパガンダの見破り方』（清談社）という単行本が今年の三月に発売されました。その中で、このように書きました。

「ツイッターを見ていて、気に入った投稿、あるいは気に障った投稿を反射的にリツイートしてしまったり、中身や背景を読まずに挑戦的なリプライを送ってしまったりすることも、実はプロパガンダにだまされやすい傾向を示しています。

　私のツイートを広めていただくのは大変ありがたいことです。ただ私は、自分がツイートした直後、ほとんど瞬間的に『いいね』が付いたり、リツイートが広がったりする状況を見ていると、内容を読んでくれているのか、リンク先の記事を見に行ってくれているのか不安にもなります。ケントの言うことであれば何でも信じられる、というのは信用いただいている証拠です。しかしそういった行動に慣れてしまうと、見出しだけ、あるいは情報の一行目だけで全てを判断してしまうことにもなりかねません。実は、私はこの現象を認識しているので、必ず一行目に力を入れていますよ。」

　プロパガンダとは「宣伝」なので、よいものも悪いものもあるけれど、もっと積極的に野党を攻撃してほしいと思いますね。

加瀬　二〇二〇年の大統領選挙はプロパガンダ大合戦になりそうですね。

トランプの審判は、コロナを収束させ経済を復活させる政策実現にある

ギルバート　コロナウイルスの影響で民主党の予備選挙が延期になっているけれど、ほかの候補者が辞退しているので、ほぼ確実にバイデンは、党大会で実際に候補者選びに投票

する代議員の過半数の票を抑えられます。相当異例なことが起きない限り、第一回目の投票で本選挙の正式候補者に選ばれる見通しです。

バイデンの弱みとして、前述のように息子ハンター・バイデンのウクライナ不祥事の捜査の進み具合によって支持率が下がる可能性があります。最近浮上したセクハラ事件の行方も、現時点では判断できません。そして、どうしても無視できないのはバイデンの健康状態です。

フォックスニュースを見ていると、複数の番組は「バイデン失言コーナー」を設けています。「さあ、今週のバイデンは」と言って、最新の失言を揶揄するのです。必ず素材は集まりますね。

加瀬　全世界のアルツハイマーの、高齢者の励みになりますね（笑）。

ギルバート　励みになるのか、屈辱になるのか。実は、妻の母親がアルツハイマー病で亡くなったので、私は素直に笑えません。家族にとってどれだけ大変なことか分かっています。最近、バイデンが話すとき、必ず奥様がそばに立っています。どうしてもナンシー・レーガンを連想します。晩年、重症のアルツハイマーになっていたレーガン元大統領に、最後まで奥様が付き添って支えてくれました。

レーガン大統領は八年間大統領を務めました。最後の一年は少しアルツハイマーになりかけていたのが現在の通説です。そう考えると、レーガンの任期が終わったときに七八歳でしたが、バイデンが当選すると就任するときに七八歳になります。従って、どうしても危ないと思ってしまいます。ＰＣを重んじる民主党なので、半ば人の健康や年齢を話題にすることが人権的に卑怯だと思っているかもしれません。でも、健康状態が悪化した場合、無視できなくなるでしょう。それでもバイデンにするのかと言いたいです。

二〇二〇年の米国大統領選挙の焦点は、関心度の高い順に見ると、本来なら、国内外の経済、健康保険問題、移民問題、環境問題、社会問題の五つだと思います。様々な政策は、所属政党の綱領に示されています。党大会でその内容が確定されて、候補者はその綱領に沿って遊説します。

もちろん、候補者の能力、経験や経歴、政治哲学、人格は大きなポイントになります。戦争があれば別ですが、原則として外交問題をあまり理解していない国民にとっては、関心度が低くて、選挙に対する影響は殆どないと思ってもいいです。

しかし、今回の選挙には「本来」という用語は当てはまりません。

戦後、現職大統領が再選できなかったことは二回しかありません。民主党のジミー・カーターは、経済の停滞とイラン大使館人質事件を解決できなかったことが原因で、共和党のロナルド・レーガンに惨敗しました。その前のフォード大統領は、ニクソン政権で副大統領でしたが、リチャード・ニクソン大統領がウォーターゲート事件で辞任したので、大統領の地位を継いだのです。就任して、すぐにニクソンに恩赦を与えました。その後の選挙では国民の反発に耐え切れず、カーターに破れました。カーターは優秀だから当選できたわけではありません。

ジョージ・H・W・ブッシュ大統領（父）は、第一次湾岸戦争の勝利で支持率がとても高かったけれども、「絶対に増税しない」という公約を破ったので、共和党の超保守勢力が反発して、保守のビジネスマンのロス・ペローが極右を代表して立候補しました。それで共和党の票が二つに割れて、民主党のビル・クリントンが当選しました。

コロナウイルス問題が勃発するまで、ドナルド・トランプの再選がほぼ確実でした。現在、私はこのように分析しています。「トランプが勝たないかもしれないけれども、というか負けるかもしれないけれども、バイデンは勝たない。」

どういう意味かと言うと、バイデンが勝つはずはありません。ただ、コロナウイルス問題の対応次第で、トランプが負けるかもしれない。その場合には、仕方なく民主党の候補が当選し、バイデンが大統領になります。しかし、国民が積極的に彼を選んだ結果にはならない。つまり、国民が彼を選んで、大統領にすることはないと思う。

したがって、今回の選挙は、トランプのリーダーシップに対する審判でしょう。今までの対応策に加えて、これからコロナウイルスの大量に再発症させることなく、速やかに経済を再開することができるかどうかが焦点になります。この三年で民主党は、トランプを打倒する政策以外に、殆ど功績を残していません。

それゆえ、民主党の戦略は、積極的に党が薦めるリベラル思想に焦点を当てず、トランプ本人に対するネガティブ・プロパガンダ合戦になるでしょう。印象操作もあり、（ねつ造を含む）虚偽情報、真実を一部含む虚偽発言の嘘もあり。人格攻撃が中心になるかもしれません。発言を批判するよりも、相手の人格を責め立て、批判する手法です。日本の無責任野党が常に「安倍は信用できない」と言っているのと同じです。

これに対して、共和党はトランプの功績、コロナウイルス対策の大成功を称賛する。同時に、民主党の功績の無さ、バイデンの弱みを厳しく追及するでしょう。

この作戦に、大マスコミは喜んで加担して、トランプに対する凄まじいネガティブ・

キャンペーンを繰り広げるに違いありません。

加瀬　ぼくもトランプが再選されると信じていますが、一九二八年に高い人気を取って、共和党の大統領として当選したハーバート・フーバー大統領が、翌年、誰も予想できなかった経済大恐慌によって、一九三二年の選挙で民主党のルーズベルト候補に敗れるということがありました。今回の武漢パンデミックは、〝第二の経済大恐慌〟と呼ばれていますが、でも、このままゆけばトランプはフーバーにならないでしょう。

フーバーは企業家の出身で、優れた政治家でした。もし経済大恐慌が起こらなかったとすれば、日米戦争も、朝鮮戦争も起こらなかったし、中国も共産化しなかったでしょう。フーバーは炯眼（けいがん）の人でした。ルーズベルトが大統領にならなければ、人類の歴史が狂うことがなかったでしょう。『フーバー大統領が明かす　日米戦争の真実――米国民をも騙した謀略』（加瀬英明編著、勉誠出版）を、多くの人にお読みいただきたいですね。

第六章　コロナ以降の世界はどうなる？

あと十数年で、アメリカは非白人の国になる

ギルバート　日本では殆ど報道されていないけれども、大きな不確定要素がもう一つあります。現在、ウィリアム・バー司法長官の指揮の下、不発に終わったロシア疑惑（通称ロシアゲート）の起源を追及する刑事捜査が行われています。その報告書が夏に出ます。その結果、複数のオバマ政権の高官が刑事告訴される可能性が高まっています。当時の大統領や副大統領の関与も報告されると、民主党は大打撃を受けるでしょう。

分断政治に戻りますが、コロナウイルス対策で経済的な被害を受けた人たちが、どのように反応するのか。もちろん現時点では予測できません。民主党はきっと、彼らを分断政治の中の被害者グループに入れたいでしょう。

それから、予備選挙でバイデンは黒人票を集めているんですね。彼自身が黒人のために何かをしたかと言うと、特に何もありません。オバマの副大統領だったという理由だけで、バイデンを選んでいる人が多いと思います。

本選挙になると、トランプが黒人にとって非常に有効な政策を実施したので、黒人票を一二～一四％くらい取れる可能性があると言われています。そうすると、トランプさんが

当選するとも言われています。前回、黒人の支持八％だったから、その倍を取ってしまえば、楽勝でしょう。黒人がアメリカの全人口の一四％しかいないのに、これだけの影響力があります。

加瀬　そう言えば、あと十何年かで、アメリカの人口の半分以上が、非白人になるんですよね。

ギルバート　カリフォルニア州では、既に白人が過半数割れしています。

加瀬　そうすると、ぼくは不思議なのは、ヒスパニックは、マイノリティーに入っているんですね。

ギルバート　私も、本来なら無意味な分類だと思います。本人たちは、優遇措置を受けられるのは嬉しいかもしれないけれども、その多くは白人のつもりでいます。前述のように、二代目から同化してしまいますし。

加瀬　アメリカの政治学者に、「ヒスパニックは、どう見ても白人が多い。彼らは白人じゃないか」と言ったら、あれは民主党がやったことなんだって。非白人だと、政府からお金をもらえるんですよね。

ギルバート　そうなんです。依存層を一つ作ったんです。

加瀬　それで、ヒスパニックの票が欲しくて、ヒスパニックの白人を非白人、マイノリティーにしただけの話だと。だからアメリカというのは不思議な国ですね。

ギルバート　最近、アメリカの金利が史上最低レベルにまで下がっているんですね。それで私は家のローンの組み替えを申請したんです。今、便利なもので、インターネットでできます。

　申請書を見たら「人種についてお答えいただけますか」とありました。必須ではないけれども、答えによって、非白人が有利になることもあるでしょうね。銀行や管理を担う省庁が統計を取るためにもそのデータが欲しいのでしょう。決して差別のためではありません。申請書のその項目には人種の選択肢が一五ぐらい並べられていて、最後に「ホワイト」とありました。

加瀬　これは、本と関係ない話だけれども、ぼくは一九五〇年代末にアメリカに留学したことがありました。そのときに、車の免許証を取ろうとしたら、申請書に丸をするところがあって「ホワイト」それから「カラー」と書かれていた。白人か、有色（カラー）かということですね。

ギルバート　その当時は選択肢が二つしかなかったですね。

加瀬　アメリカで自動車運転免許を取るのは簡単なんですよ。普通の路上で、車をバックさせて、駐車させるだけなんです。
ギルバート　並列駐車ですね。
加瀬　そう、そう。
ギルバート　現在、並列駐車を試験からはずした州もありますよ。
加瀬　それで、ホワイトとカラーと分かれているから「ぼくは日本人だけどどっちか」と聞いたら「ホワイトだ」って。それで、ぼくは関心を持って「チャイニーズ、それからコリアンはどうだ」と尋ねると、「They are colored（有色）」だといいました。だからアメリカでは日本人は名誉白人なんですかね。
ギルバート　南アフリカでも、日本人は名誉白人でしたね。
加瀬　ぼくは一九八〇年代に入って希少金属の国家備蓄制度をつくるときに、通産省から会われて、アフリカ南部諸国へお使いしました。アフリカの南部に集中して産出するんですね。南アフリカ共和国を訪れ、プレトリアに日本大使館があって、一番の仕事は、日本の遠洋漁業の船がケープタウンに入港して、船員がカラードのインド人とかアフリカ人の売春婦を買うと、当時はアパルトヘイト（人種隔離政策）だったから、有色人種と白人が性行為をするのは犯罪だったんです。
ギルバート　異種族混交、雑婚が禁じられていたんですね。
加瀬　そうするとつかまって、それをもらい下げに行くために、かけだしの大使館員が行く。それが一番多い仕事でした。南アフリカの政府の人にその話をしたら、「日本人は戦前から白人扱いだ」といわれました。
ギルバート　そう、名誉白人です。
加瀬　台湾だとか韓国だとか中国の漁船が入って、白人の売春婦を買うと、逮捕するということでした。

前回の選挙でトランプは、組織や分析でなく、主張を訴えて勝利した

ギルバート　さて、二〇一六の大統領選挙のマスコミの予想が大きく外れましたね。米国のメディアが、国民の感情を理解できなかったからです。日本のメディアの予想も外れたけれど、それは独自で取材をしないで、米国の左派マスコミの予想を鵜呑みにしていたからです。いつものことです。
米国の政治を理解するためには、国が一一の完全に異なっている地域に分かれてること

を知らなければなりません。歴史の背景から社会構成や政治の考え方まで、大きく違います。最近それを勉強して、その話題をテーマにした「トランプは再選する！日本とアメリカの未来」という本を書きました。説明するのに一冊の本が必要だったので、ここでは詳しく紹介できませんが、興味がある方は、読んでみてください。

選挙活動は、その地域ごとの特徴を考慮した上で進めないと、結果が出ません。二〇一六年の選挙では、民主党やマスコミは、トランプという無礼で下品な新人が当選できるはずもないと最初から決めつけて、分断政治の計算だけをした戦略だったと思います。ところが、地域ごとの特徴を分析すれば、トランプが当選することが予想できたはずです。その分析を怠ったのです。簡単に言えば、民主党もマスコミも自信過剰の怠慢でした。

トランプ側に関して言えば、共和党組織の協力はある程度あったでしょうが、トランプ陣営は、そんなに組織もないので、分析も何もなく、ただ単に主張したいことを一生懸命訴えただけだと思います。結果的にトランプの勘が当たったのです。

今回、トランプ支持者のデータベースが恐ろしいほど整っているので、もっとプロフェッショナルに展開していくと思います。資金も潤沢にあります。

民主党も前回の失敗を見習って、選挙戦を展開していくでしょう。マスコミの協力も十分期待できます。

ちなみに、分断政治で考えれば、トランプの最も弱い支持層は郊外に住んでいる女性です。どのようにしてその有権者にアピールするでしょうか。

加瀬　アメリカの政治のほうが、日本の政治よりも面白いですね。日本の政治は退屈です。お行儀がいいもんで。

ギルバート　だから、Twitterをやりなさいって言っているの。

加瀬　もっとやれ、もっとやれと。

ギルバート　でも、テレビで予算委員会のやりとりをずっと見ていると、なんか劇をやっているみたいですね。

加瀬　あれはね、自民党の政権があまりにも長すぎたもので、野党の顔を立てるために、予算委員会は、首相以下、全員が出る建前になっているわけですよ。時間の無駄ですよ。

ギルバート　私は国会審議が審議ではないと思いますよ。あれは、官僚作文連続発表会。しかも、下手です。不眠症の薬になります。ただし、たまに面白い人がいます。田中真紀子さんとかね。

加瀬　日本外国特派員協会で田中真紀子が講演をしたときに、田中真紀子が、「私は、トランプさんはいいと思う」と言ったんで、みんなびっくりしましたね。「ああいうぐらいの人じゃないと、やっぱり政治家は駄目よ」なんて言っている。記者会見場にいた外国記者は、みんなびっくりしていましたけどね。外国記者クラブのメンバーといえば、大手メディアを代表しているから、全員「ネバー・トランプ」で、そろって反日ですね。

ギルバート　だから私は、首相に田中真紀子でもいいと思ったんです。ちょっと金には腐敗しているかもしれないけれど、言いたい放題言ってしまいますからね。言っていることは、そこで言うべきかどうかは別として、真実ではあったんですね。

加瀬　だれも本当に考えていることを、言わないんですよね。だから、この不思議な憲法がまだあるんですよ。

日本は、消費税をゼロにして、お金を刷ったほうがいい

ギルバート　今、日本経済がめちゃくちゃじゃないですか。私は大学院で経済を勉強しましたが、経済学者ではありません。でも、簡単に考えれば、消費税ゼロにしたほうがいいと思います。暫定的に一、二年ぐらいでも。そう思いませんか？

加瀬　ぼくはそう思う。日本の経済活力を奪うことが、政府の役目じゃありません。
ギルバート　超逆進的な税金なのであって、助かるべき人たちが助かるでしょう。
加瀬　ぼくは昔から、国債を発行するよりも、お札をどんどん刷りなさいと言ってきました。
ギルバート　まあ、それは限度があるんだけどね。
加瀬　だからそれはまた、デフレギャップがどれくらいあるかとかなんとか、いろいろうるさい前提があるけれど、でも四〇兆円ぐらい刷っても、どうってことないですよ。インフレにはならないです。打出の小槌です。

日本経済は、八〇年代のバブル経済がはじけてから、ずっとデフレが続いて続いて、活力が削がれてきました。今回のパンデミックの外出自粛のもとで、デフレがいっそう進んでいます。

日本国民の財布や、ポケットには二種類のお金が入っています。一般の国民は気付いていませんが、政府貨幣と日本銀行券です。法律を読むと、政府が決定すれば政府貨幣を天井知らずに、いくらでも発行できるとされています。いまのところは政府貨幣は一円とか、百円、五百円などの硬貨に限られていますが、紙幣でもいいんです。これまで昭和天皇御即位六十年の十万円記念金貨が、最高額でしたね。法律では政府貨幣は硬貨に限られていません。紙幣でもいいんです。

政府が小切手を一枚書いて、日銀に持ち込んで、四〇兆円分の日銀券と替えればいいんです。だって、日本在来種の狸をあしらった新しいお札を作ると、動物愛護になっても問題があるでしょう。国債は償還も金利もある。お札を刷ったら、償還も金利もないんです。政府の収入になります。

ギルバート　私が思うには、日本の国債を日本が持っているんで、ほとんど日銀が買ったものでしょう。だから、日銀を倒産させればいいでしょう。そうしたら返済しないで済むでしょう。日本の借金がなくなるでしょう。ギリシャは主に外国人から借りているから駄目だけど、日本は日本人から借りているわけでしょう。チャラにしてしまえばいいんです。

加瀬　自分から借金しているようなものですからね。

武漢（ウーハン）ウイルスは、恐ろしい共産中国の姿を曝け出した

ギルバート　加瀬先生は、このパンデミックを総体的に見て、どのように考えられますか？

加瀬　世界の人々を恐怖におとしいれただけに、精神的なショックは大きなものがありま

す。武漢ウイルスのパンデミックが終息したら、人々がホッと安堵の溜息をつくとともに、世界の人々の意識というよりも、価値観が大きく変わるはずです。

いま、五月に入りましたが、いったい、いつまでこのウイルスによるパンデミックが続くものか、まったく先が見えません。

六ヶ月で終息するのか、それとも、一年以上続いてゆくのでしょうか。日本が武漢ウイルスのパンデミックを乗り超えたとしても、世界中で沈静しなければ、終息したといえません。

武漢ウイルスに対するワクチン――治療薬を開発するのに、成功するでしょうか?

ギルバート　実は、HIV/AIDSのワクチンの開発に携わっている、世界トップクラスの科学者が、いま取り組んでいるので、早い内にワクチンができると思います。五月二日に、トランプ大統領は今年中にワクチンができる見通しだと発表しました。さらに、新型コロナウイルス・パンデミックに対処するホワイトハウス・コロナウイルス・タスクフォース（対策委員会）の主要メンバーであり、感染症に関する米国の第一人者として、アメリカ合衆国の政権六代に渡って大統領に感染症関係の助言をしてきた、アメリカ国立アレルギー・感染症研究所所長アンソニー・ファウチ氏（七九）も、旨く行けば、来年一月までにコロナウイルスのワクチンができる可能性が十分にあると発言しています。その間、様々の治療薬も研究されています。私は、中長期展望は楽観的です。

　許せないのは、中国共産党が情報を世界に共有していないことです。自分たちだけでワクチンを開発して、その市場を独占しようとしているのではないでしょうか。新たな罪を犯すわけです。

加瀬　中国が武漢ウイルスによる敗け組のトップです。まず先進諸国の中国を見る眼が、まったく違ったものになっているでしょう。

　先進諸国の多国籍企業が、中国に過度に製造を依存した祟りによって大火傷したために、製造拠点を中国から本国、あるいは他の諸国へ移す、大移動が始まりました。トヨタ、アップルなどは、まだ、巨大な中国市場を失いたくないので、中国を見捨てようとしていませんがね。

　武漢ウイルスは、共産中国の恐ろしい、ぞっとさせられる正体を曝け出してしまいました。中国の化けの皮が剝れて、一党独裁の醜い赤裸々な姿が、あからさまになってしまいました。

中国が輝きを失うと、台湾の地位が上がりますね。台湾がしっかりしてくれることは、アジアの平和と安定にとって欠かせません。

日本にとって、中国が「南京大虐殺事件」や、「尖閣諸島は中国の国有の領土だ」といった主張をしてきましたが、世界の人々は中国がでっちあげた大嘘だったことを理解するという、ボーナスが期待できます。

ギルバート　短期的にも世界中が膨大な損を被っています。少なくとも中国共産党が各国と協力することによって、多少なりとも誠意を見せてもらいたいです。

加瀬　先進諸国では、武漢（ウーハン）ウイルスによって中小企業がバタバタと倒産してしまうかたわら、習近平が胸を張って、「五千年の偉大な中華文明の復興」を呼号していましたが、これで、破産してしまいましたね。中国国内で習さんが、裸の王様だということがわかって、習さんの権威がすっかりほころびてしまいました。

一つ良いことがあるならば、武漢（ウーハン）ウイルスは武漢市民が生鮮市場で、蝙蝠、爬虫類に似たセンザンコウ、ハクビシン、野鼠などの野生動物を買って、食べていたことから起ったため、政府が野生動物を食べることをはじめて禁じたのです。センザンコウが絶滅から救われることでしょう。

それぞれの国で国家意識が回復して、国の役割を見直すことになります。ヒト、物、カネ、ウイルスが国境を越えて、自由に行き来するという、グローバリズムに対する憧れがしぼみますからね。

ギルバート　グローバリズムの弱点が明るみになりました。安全保障面からして、もっと現実的なものになることを希望します。

パンデミックから解放された人類は、生きていることを楽しもうとする

加瀬　コロナウイルスのパンデミックがおさまったら、政府が気前よく中小企業、働く人々を支援すれば、経済景気が大きく回復することになると思います。そう願いたいですね。

ヨーロッパでは、黒死病によって人口の六〇％が死んだと推定されていますが、そのあとがそうでした。そのまま、今日の状態と比べられませんが、人口が減ったので労働賃金があがり、生産性も上がり、生き延びた人々は人生を楽しもうとして、衣類、贅沢品をはじめ消費が増えました。

日本では明暦三（一六五七）年の江戸の明暦の大火のあとで、大好況が訪れました。「江戸の大火」とも呼ばれていますが、幕府が区画整理など大規模な再建を進め、好況に

涌きたちました。

五月に入って、トランプ大統領がチャイナ・ウイルスによって「アメリカ国内で九、一〇万人程度の死者が出る可能性がある」と述べましたが、まさに戦争状態ですね。全面戦争のときは財政赤字にかまわず惜しみなく費用を支出します。中央銀行が紙幣をどんどん、刷ることになります。

日本でも、どの国でも、政府が経済を支え、再建するために、戦時予算に匹敵する財政出動を行うことになります。先進諸国は長いあいだデフレに悩んできましたが、大盤振舞いをしたあとかたづけが問題になります。

ヨーロッパでは、黒死病の大流行のあとで、それまで年利二〇%から三〇%といった高金利が大きく下がってゆき、一六世紀に入ると、八%から一〇%になりました。そのために商業が活性化して、借金に苦しんでいた国王や、大公たちが、金を軍隊に注ぎ込んで戦争が増えました。

ギルバート　さっき紹介したように、現在、アメリカも含めて、各国の金利がほぼ〇%です。

加瀬　今回のコロナウイルスの流行によって、自宅に閉じ込められていた消費者が、パンデミックの恐怖から解放されて、生き残ってよかったと思って、もっと生きていることを楽しもうとするでしょう。

医療機器が、勝ち組でしょう。人生一〇〇年時代がきたと浮かれていましたが、人々のその日ごとの健康志向がいままで以上に、強まります。アマゾンがすでに注目しているといわれますが、自宅で健康診断を行える器機や、システムが求められます。自宅で用便のたびに、健康状態を簡単に計れるトイレが、売れるんじゃないですか。

ギルバート　前述のように、アメリカでは、インターネットを通して、在宅中にかかりつけの医師の診断を受けることが一般的になってきましたね。

加瀬　グレタちゃんには気の毒ですが、原油価格が暴落したために、電気自動車とか、ソーラーや、風力発電などの代替エネルギーに投資する意欲が、減退することになるでしょう。原油価格は、バレル当たり六〇ドル台あたりだったのが、ゼロまで落ちましたからね。このパンデミックが終わっても、六〇ドル台まで高騰しないでしょう。

ギルバート　原油価格が一旦マイナスになりましたね。ただ、少し時間がかかるけれども、もっと上がる可能性が高いと思いますよ。

加瀬　武漢（ウーハン）ウイルスの蔓延中には会社に出勤しないで、自宅で働くリモートワークとか、テレワークが推奨されました。しかし、この働きかたが、パンデミックが収まったあとで定着することはないでしょうね。テレワークは、包装されたレトルト食品や、カップラーメンのようなもので、毎回、食べさせられたら、もううんざりします。体温や心が通いません。やはり手料理でなければ、心が伝わりません。リモートワークが一五年前か、今世紀はじめに、脚光を浴びましたが、生産性（プロダクテビティ）が大きく落ちました。この経験からも、多くの職場が出勤型に戻るでしょう。

ギルバート　私の息子は三人ともテレワークをやっていますが、早く会社に戻りたいと言っています。孫は家でオンライン教育を受けていますが、早く学校に行って、友達と再会したいでしょう。仕事ができない方々は大変な不安を感じているに違いありません。会社の存続が不確かな経営者は、きっと眠れない夜を過ごしているでしょう。家に閉じ込められている世界中の皆さんも解放される日を切望しています。

何よりも、コロナウイルスの影響で病気を患っている方々の早期回復を心の底からお祈り致します。そして、亡くなられた方々のご冥福を祈ると同時に、愛する家族を失った方々の心に神様の豊かな安らぎが与えられますように。

あとがき

ギルバート先生と対談の本を刊行するのは、今回で三回目になるが、そのたびに多くを教えられ、蒙を啓かれてきた。

新型コロナウィルスは、第二次大戦後の世界に最大の恐怖をもたらしている。まだ出口が見えないが、終息した後に世界のありかたが、大きく変わっていよう。グローバリズムと、世界的な流行であるパンデミックが発生した中国が、最大の敗者となろう。

グローバリズムがこの半世紀以上も、全世界を支配してきた。そのもとで、ヒト、モノ、カネ、ウィルスが国境を越えて自由に動いてきた。

国際人とか、地球市民、多文化、多国籍といった言葉が、人や企業のあるべき姿としてもて囃（はや）されてきた。

私は典型的な〝英語屋〟である。二十九歳で『ブリタニカ大百科事典』（ＴＢＳブリタニカ社）の最初の日本語版の初代編集長をつとめ、三十代からアメリカの有名なシカゴ大学、トランプ大統領の母校である名門フィラデルフィア大学などから講師として招かれた。四十歳の時に、福田赳夫内閣の首相特別顧問として、その後、外相、防衛庁長官顧問、中曽根内閣首相特別顧問として、対米外交の第一線に立った。だが、私は「国際人」と呼ばれることを、嫌ってきた。国よりも国際を優先する風潮は、おぞましい。

グローバリズムが世界を蝕んできたが、企業が金儲けのために、中国をはじめとする低賃金の発展途上国に巨額の投資を行って収益をあげて、ウィルスのように全世界に感染したためだった。だが、中国の武漢（ウーハン）から始まったコロナウィルスが、財物の豊かさだけを追求してきた世界経済を破壊した。

今回のウーハン・ウィルスの教訓は、国民はやはり国家しか頼ることができないということだ。

十五世紀末に西洋で生まれた、文化人類学という学問がある。西洋から見て未開だと見下した部族を研究対象としてきた。文明に浴している人々が、民族として扱われるのに対して、部族と呼ばれてきた。

いまでも部族は英語でトライブtribe、フランス語でtribus、ドイツ語でStama、イタリア語、スペイン語でtribuと呼ばれるが、差別語とされている。

だが、部族は、同じ血、同じ言語、価値・道徳観、生活習慣、同じ信仰と、代々にわたる長い歴史を分かち合って、成り立っている。部族は外に対して、自分たちの生活を守るために、団結してきた。

文化人類学は白人・キリスト教徒の傲りから、部族を未開な存在としてきたが、近代国家だって、部族とまったく変わらない。

部族も、国家も、構成する人々の生活の基盤となっている。グローバリゼーションが人々を根なし草にしたが、コロナ危機は国家しか頼れないことを、明らかにした。

グローバリゼーションはそれぞれの国の固有な文化による箍を弱めて、無国籍にしたために、人々が放縦になって、快楽を追求してきた。昨年から始まったパンデミックに襲われた結果、人々が国境が果してきた役割に、再び目覚めることになった。

今回のパンデミックは奇禍であるが、これを奇貨として、日本国民が目を覚まして、〝ジャパン・ファースト〟（日本優先）の自立心を取り戻すことを、期待したい。

本書を上梓するのに当たって、勉誠出版の池嶋洋次社長、武内可夏子氏、そして対談の構成に当たっては藤田裕行氏にお世話になった。感謝したい。

加瀬英明

【著者紹介】

加瀬英明（かせ・ひであき）

1936年東京生まれ。外交評論家、東京国際大学特任教授。慶應義塾大学、エール大学、コロンビア大学に学ぶ。「ブリタニカ国際大百科事典」初代編集長。1977年より福田・中曾根内閣で首相特別顧問を務めたほか、日本ペンクラブ理事、松下政経塾相談役などを歴任。
著書に『昭和天皇の戦い』（勉誠出版）、『イギリス　衰亡しない伝統国家』（講談社）、『徳の国富論』（自由社）など。現在『加瀬英明著作選集』（勉誠出版）を刊行中。

ケント・ギルバート

1952年、アメリカ合衆国アイダホ州に生まれる。カリフォルニア州弁護士、経営学修士（MBA）、法務博士（ジュリスドクター）。1970年、ブリガムヤング大学に入学。翌1971年に宣教師として初来日。その後、国際法律事務所に就職し、企業への法律コンサルタントとして再来日。弁護士業と並行してテレビに出演。2015年、アパ日本再興財団による『第8回「真の近現代史観」懸賞論文』の最優秀藤誠志賞を受賞。

新しいナショナリズムの時代がやってきた！

2020年7月15日　初版発行

著　者　加瀬英明／ケント・ギルバート
発行者　池嶋洋次
発行所　勉誠出版 株式会社
〒101-0051　東京都千代田区神田神保町3-10-2
TEL：(03)5215-9021(代)　FAX：(03)5215-9025
〈出版詳細情報〉http://bensei.jp

印刷・製本　㈱太平印刷社
ISBN 978-4-585-23082-3　C0031

グローバリズムを越えて自立する日本

腐敗した組織「国際連合」の実状とグローバリズムという収奪の実態を暴き、日本の自立自尊、相互尊重の国是を内外に示して、令和新時代を開く指針を提示する。

加瀬英明・馬渕睦夫 著・本体九〇〇円（＋税）

加瀬英明著作選集1 アメリカ・中国・中東は、どうなってゆくのか

外交の第一線に立った豊かな国際経験と、知識により、混迷をきわめる世界の現在と未来を読み解く。日本人はどこへゆくのか。日本の針路を決する、言論の弾丸！

加瀬英明 著・本体三二〇〇円（＋税）

加瀬英明著作選集2 日本人の精神性を論じる

和を尊び、自然界と一体化する日本人の考え方はどこからきたのか？　江戸時代の「徳の精神」から、現代の「個性」まで、日本人の精神性を辿る3作品を収録。

加瀬英明 著・本体三二〇〇円（＋税）